WOLFGANG HOHLBEIN

DER MAGIER
Der Erbe der Nacht

Tosa Verlag

Im Auftrag hergestellte Sonderausgabe
Alle Rechte vorbehalten
Umschlagbild mit freundlicher Genehmigung des Bastei-Verlages,
Bergisch Gladbach
© 1994 by Tosa Verlag, Wien
Printed in Austria

Er rannte um sein Leben.

Sie waren hinter ihm, und obwohl er sie weder sehen noch hören konnte, spürte er ihre Nähe wie einen schwachen, aber üblen Geruch, den er nicht abschütteln konnte. Sie waren hinter ihm, verborgen in der Dunkelheit, die sich wie eine undurchdringliche schwarze Decke über die Straße gebreitet hatte. Und er wußte, es gab kein Entrinnen. Dies hier war ihr Revier, sie kannten hier jeden Fußbreit Boden, jedes Versteck und jede Abkürzung. Er hatte einen kleinen Vorsprung herausgeholt, aber er machte sich nichts vor – im Grunde tat er nichts anderes als ein Mann, der auf einem Fließband lief: Er konnte rennen, so schnell er wollte, er kam doch nicht wirklich von der Stelle. Er hatte Angst.

Er blieb stehen und atmete tief durch. Die eisige Luft schmerzte in seiner Kehle, und sein Mund war wie ausgetrocknet. Sein Herz jagte. Es stand mehr auf dem Spiel als sein Leben. Viel mehr. Er hatte Angst.

Gehetzt sah er sich um. Die Straße war noch immer leer. Die Gegend, in die er sich verirrt hatte, war eine der weniger vornehmen Londons. Genauer gesagt war es eines der Viertel, das man nach Dunkelwerden besser mied.

Ein leises Kollern drang an sein Ohr. Er fuhr herum und starrte aus angstvoll geweiteten Augen in die Dunkelheit. Seine Handflächen wurden feucht vor Schweiß. Aber er sah nichts. Die Straße lag leer und einsam vor ihm; es fiel ihm schwer zu glauben, daß er sich wirklich in der größten Stadt der britischen Inseln befand, einer Stadt mit Millionen von Einwohnern und hellen, von zahllosen Gaslaternen erleuchteten Straßen, in denen das Leben auch während der Nacht pulsierte, in denen es Menschen gab, Fuhrwerke und Mietdroschken – und vor allem Polizisten. Aber dies hier war ein anderes London; eines, dessen Gesicht ein Außenstehender selten zu sehen bekam.

Er schluckte, um den Kloß in seinem Hals loszuwerden, und ging mit erzwungen langsamen Schritten weiter. Vor ihm tauchte ein Licht auf, aber es war nur eine Gaslaterne, die mit ihrem Schein eine winzige Insel trübgelber Helligkeit in der Nacht schuf, eine Sicherheit vorgaukelnd, die es nicht gab. Zum ersten Mal in seinem Leben hatte er Angst vor der Dunkelheit. Er war mindestens eine Meile von den belebteren Gegenden der Stadt entfernt. Genau eine Meile zu weit.

Wieder hörte er dieses unheimliche Geräusch, und diesmal deutlicher, näher: Es war nicht nur ein Kollern, so als rolle ein Stein über den Boden, da war noch etwas, etwas, das er noch nie im Leben gehört hatte und das ihm vollkommen fremd war – und doch gleichzeitig auf entsetzliche Weise vertraut. Es klang als . . . kröche etwas Großes, Nasses, ungeheuerlich Starkes über das Kopfsteinpflaster heran.

Dieses schwere, feuchte Schleifen war keine Einbildung, und der Laut verfolgte ihn noch, als er ihn schon längst nicht mehr hörte. Ein eisiger Schauer jagte über seinen Rücken. Eine neue, sonderbar körperlose Angst stieg in ihm auf, und für einen Moment wünschte er sich fast, die Schatten seiner Verfolger hinter der nächsten Straßenecke auftauchen zu sehen, einfach um sich überzeugen zu können, daß sie wenigstens Menschen waren. Als ob es einen Unterschied machte, wer ihn umbrachte!

Aber das stimmte nicht. Es gab einen Unterschied, das wußte er, und es gab Dinge, die schlimmer waren als *der Tod. Tausendmal schlimmer.*

Er ging weiter, erreichte eine Straßenkreuzung und blieb einen Moment lang unschlüssig stehen. Zwei Schritte neben ihm türmte sich ein fast mannshoher Stapel überquellender Abfalltonnen, Kisten und vom Regen halb aufgeweichter Kartons voller Unrat an der Hauswand. Links und rechts erstreckte sich die Straße leer und schwarz wie eine Schlucht, weiter geradeaus gab es ein paar Laternen, und – er war nicht sicher, aber er glaubte es wenigstens – hinter den geschlossenen Lä-den eines Hauses schien ein gelbes Gaslicht zu leuch-ten. Vielleicht fand er dort Hilfe. Einen Wagen oder möglicherweise auch einen dieser neumodischen Tele-fonapparate, mit denen er Hilfe herbeirufen könnte.

Er hatte diesen Gedanken kaum zu Ende gedacht, als er begriff, wie absurd er war. Niemand, der in dieser Ge-gend lebte und seine fünf Sinne beisammen hatte, würde nach Dunkelwerden die Tür öffnen, wenn es klopfte, und Telefonapparate gab es vielleicht in den großen Hotels drüben in Mayfair und in den Häusern einiger weniger Wohlhabender, aber nicht hier in die-sem Elendsviertel. Nein – hier war niemand, der ihm helfen würde.

Er zögerte noch einen Moment, dann trat er an den Ab-fallhaufen heran und riß mit einer entschlossenen Be-wegung ein loses Brett von einer Kiste. Eine jämmerli-che Waffe – aber wenigstens würde er nicht mit leeren Händen dastehen, wenn er sich verteidigen mußte.

Als er sich herumdrehte, stand eine Gestalt hinter ihm, lautlos wie aus dem Boden gewachsen, ein großer, bulli-ger Kerl, in dessen Hand ein Springmesser blitzte wie eine Schlange aus Stahl.

Im letzten Augenblick schnellte er zurück, konnte dem

Hieb aber nicht mehr ganz ausweichen. Die scharfe Klinge zerschnitt seine Weste und das Hemd, ritzte die Haut darunter und hinterließ einen langen, heftig blutenden Kratzer auf seinem Leib. Er schrie vor Schmerz und Überraschung, strauchelte und verlor auf dem schlüpfrigen Boden das Gleichgewicht. Er fiel, versuchte sich zur Seite zu rollen und gleichzeitig mit der Latte nach dem Angreifer zu schlagen, aber der Bursche war viel zu schnell für ihn. Mit einer raschen Bewegung duckte er sich weg, sprang gleich darauf wieder vor und trat ihm das Kistenbrett aus der Hand. Ein zweiter Fußtritt traf seinen Magen und trieb ihm die Luft aus dem Leib.

Als sich die schwarzen Schleier vor seinen Augen wieder lichteten, stand der Bursche breitbeinig über ihm. Das Messer in seiner Hand blitzte im schwachen Widerschein der Gaslaterne, und sein Gesicht – Großer Gott! dachte er entsetzt. Sein Gesicht! Sein Gesicht!

Es geschah vor genau einhundert Jahren an einem achtzehnten Mai, Punkt Mitternacht, in London, aber es geschah auch jetzt und hier, ebenfalls an einem achtzehnten Mai, und ebenfalls Schlag Mitternacht in London – und begonnen hatte es eigentlich vor zweihundert Millionen Jahren, möglicherweise auch an jener Stelle der damals noch jungen Erde, die sehr viel später auf den Namen London getauft werden sollte, und an einem Tag, der ein achtzehnter Mai gewesen wäre – hätte es damals bereits einen Kalender gegeben.

Für mich jedenfalls nahm alles in der ersten Minute des gerade geborenen achtzehnten Mai seinen Anfang, und es sollte mein Leben von Grund auf ändern, so sehr, wie sich das Leben eines charmanten, gutaussehenden und

– zugegebenermaßen – reichlich verwöhnten zwanzigjährigen Millionärserben überhaupt nur ändern kann.

Es begann mit dem ersten Schlag der monströsen Standuhr, die im Arbeitszimmer von Sir Roderick McFaflathe-Throllinghwort-Simpson III. stand, seines Zeichens mein Großvater und seit dem Tod meiner Eltern vor achtzehn Jahren so etwas wie Vater- und Mutterersatz in einem – ob seines selbst für einen Briten wirklich zungenbrecherischen Namens nannten ihn seine Freunde übrigens einfach nur Mac. Wie gesagt – es begann mit dem ersten, dröhnenden Ka-bummm dieses Ungeheuers von einer Uhr, einem Geräusch, das selbst langjährigen Bewohnern des Hauses am Ashton Place Nr. 9 immer wieder einen eisigen Schauer über den Rücken jagte, und als der letzte Glockenschlag verhallte, hatten sich bereits große, grauenerregende Dinge in jener unsichtbaren Welt hinter der Wirklichkeit getan. Ich allerdings hatte in diesem Moment noch keine Ahnung von alldem und hätte auch wahrscheinlich der lächerlichen Vorstellung vom Erwachen irgendwelcher chthonischer vorzeitlicher Gottheiten oder dem Fluch blasphemischer Dämonen wenig Aufmerksamkeit geschenkt, denn ich war viel zu sehr damit beschäftigt, mit den Nachwirkungen des Alptraumes fertig zu werden, aus dem ich gerade erwacht war. Als der letzte Schlag des Uhrungeheuers vibrierend verhallte, öffnete ich die Augen. Mißtrauisch – und einstweilen eher verwirrt als ängstlich, obgleich ich weiß Gott Grund dazu gehabt hätte – sah ich mich um. Etwas war geschehen – und es war nicht nur der Alptraum, was mich so beunruhigte.

Sekundenlang blieb ich reglos liegen, starrte die Decke über meinem Kopf an und versuchte das Gefühl als

9

Hirngespinst abzutun, aber es gelang mir nicht. Mein Herz klopfte. Unter der dünnen Decke war ich in Schweiß gebadet, und in meinem Magen war noch ein schwacher Nachhall jener entsetzlichen, körperlosen Angst, die mich während des Alptraumes geplagt hatte. Es war nicht das erstemal, daß ich diesen Traum träumte, immer den gleichen, scheinbar völlig sinnlosen Traum, in dem ich rannte und rannte und rannte und im Grunde nicht einmal wußte, wovor ich floh, und aus dem ich stets aufwachte, wenn der Mann mit dem Messer über mir stand.

Aber etwas war anders, heute. Ein Hauch von Bedrohung, etwas wie der – das Wort kam mir selbst lächerlich vor, aber ganz genau das war es, was ich in diesem Moment empfand – wie der Odem des Bösen hing gleich einem unsichtbaren Pesthauch in der Luft und machte das Atmen schwer.

Es dauerte einen Moment, bis ich begriff, daß ich dieses Gefühl aus meinen Träumen kannte. Vergeblich versuchte ich mir einzureden, daß vielleicht dies schon die Erklärung sein mochte: Ich hatte mich noch nicht ganz aus der Schein-Realität des Alptraumes gelöst.

Aber ich fühlte mich hellwach.

Ich machte Licht, setzte mich auf und sah mich in dem großen, zum Studio umgebauten Dachzimmer um. Alles schien normal. Das Haus war sehr still, und hier in dem ruhigen Vorort war selbst von dem lauten Treiben der Zehn-Millionen-Stadt nur ein entferntes Murmeln und Raunen zu hören, kaum mehr als das Geräusch leiser Meeresbrandung. Das Zimmer sah aus wie immer: Ein großer Raum, dessen rechte Dachhälfte aus Glas bestand, mit überquellenden Regalen voller Bücher und Schallplatten an den Wänden und wenigen, aber geschmackvollen Möbeln. Das einzige andere Lebewesen war Merlin, mein übergewichtiger Albinokater, der mich jetzt ob der jähen Störung über den Rand seines Katzenkorbes hinweg vorwurfsvoll anblinzelte.

Nein, niemand war hier. Niemand war hereingekommen, seit ich zu Bett gegangen war – was auch gar nicht möglich gewesen wäre, denn vom Personal wohnte keiner außer der Haushälterin im Haus, und die hatte heute Ausgang, und meinem Großvater waren die fast vierzig Stufen zu meinem Dachkammerreich schon lange zu anstrengend geworden; schließlich ging er auf die Neunzig zu, auch wenn er sich gut gehalten hatte und noch sehr rüstig war.

Und trotzdem war ich für einen Moment völlig sicher, nicht mehr allein zu sein. Etwas war im Zimmer, unsichtbar, aber deutlich zu fühlen, so deutlich wie jener gestaltlose Verfolger in meinem Traum. Es war, als hätte etwas mit unsichtbaren eisigen Fingern meine Seele berührt.

Erneut sah ich mich um, ohne etwas Ungewöhnliches entdecken zu können, und wollte mich schon wieder zurücklegen, als mein Blick durch Zufall noch einmal Merlins Korb streifte. Und was ich sah, ließ mir fast das Blut in den Adern gerinnen.

Der weiße Kater hatte sich stocksteif aufgerichtet. Sein Kopf ruckte mit kleinen nervösen Bewegungen unablässig von rechts nach links und wieder zurück, und sein Fell war gesträubt. Seine kleinen roten Albinoaugen funkelten, als wäre ein Feuer dahinter angegangen, sein Maul stand halb offen, so daß man seine ehrfurchtgebietenden Fänge sehen konnte, seine Schnurrhaare zitterten. Irgend etwas war hier nicht in Ordnung, ganz und gar nicht, und der Kater spürte es so deutlich wie

11

ich.

Entschlossen trat ich an Merlins Korb heran, ging in die Hocke und streckte die Hand aus.

Aber Merlin reagierte ganz anders als gewohnt – statt den Kopf zu senken und meine Hand mit der Nase anzustubsen, um sich ein paar zusätzliche Streicheleinheiten zu ergaunern, prallte er zurück und fauchte mich an. Dann erstarrte er, blickte mich eindeutig verwirrt an und begann zu schnurren. Ich hätte schwören können, daß er mich im allerersten Moment einfach nicht erkannt hatte.

Ich kraulte Merlin ein paarmal hinter dem Ohr, richtete mich wieder auf und streifte meinen Morgenmantel über, wobei ich sein enttäuschtes Maunzen geflissentlich überhörte. Die Bewegung und die profane Tätigkeit des Anziehens dämpften die Furcht ein wenig, die von mir Besitz ergriffen hatte, aber sie vertrieben sie längst nicht völlig, und als ich zur Tür ging, ertappte ich mich dabei, mich ein paarmal fast ängstlich im Zimmer umzusehen, ehe ich die Hand nach dem Knauf ausstreckte. Merlin stieß ein schrilles Miauen aus und flitzte zwischen meinen Beinen hindurch aus dem Zimmer, wobei er seine fünfundzwanzig Pfund Katergewicht rücksichtslos dazu einsetzte, mich kurzerhand aus dem Weg zu fegen. Aber bevor er durch die Tür verschwand und ich gegen den Rahmen fiel, an dem ich im letzten Moment Halt fand, sah ich, daß er die Ohren eng an den Schädel gelegt und den Schwanz zwischen die Hinterläufe geklemmt hatte – auch für jemanden, der nicht unbedingt ein großer Katzenkenner ist, untrügliche Anzeichen von Angst. Ich fragte mich nur, wovor ein Kater von der Größe eines kleinen Dinosauriers Angst haben mochte ...

Aber im Grunde hatte ich gar keine besondere Lust, es herauszufinden. Beinahe hastig trat ich auf den Flur hinaus und tastete nach dem Lichtschalter. Wieder verging eine endlose Sekunde, in der mir meine überreizte Phantasie alle möglichen Schreckensbilder vorzugaukeln versuchte, ehe über meinem Kopf die Neonleuchten zu flackerndem Leben erwachten und mit ihrem kalten Licht die Gespenster der Nacht vertrieben.

Ich atmete erleichtert auf, als ich feststellte, daß rings um mich alles von gewohnter, beruhigender Normalität war. Vielleicht war es doch nur der Alptraum gewesen.

Die ersten zwei oder drei Male, als ich ihn geträumt hatte, hatte ich ihn einfach interessant gefunden und ein bißchen verwirrend, aber je öfter er sich wiederholte, desto mehr erschreckte er mich. Er war immer gleich, wie ein endloses Videoband, und er endete immer in der Sekunde, in der ich das Gesicht des Messerstechers sah. Der Mann, der dort verfolgt wurde, das war nicht ich, wie es normalerweise in Träumen der Fall ist, sondern ein Fremder, und doch hatte ich irgend etwas mit ihm zu tun, gab es eine Verbindung zwischen ihm und mir, die sehr wichtig war, ohne daß ich zu sagen vermocht hätte, welche. Und das war nicht alles. Das London, durch das er lief, war mir fremd. Oh, es war London, sicher, die Stadt, in der ich aufgewachsen war, und gleichzeitig vollkommen anders, eine Stadt, in der es Gaslaternen und Mietdroschken gab, dafür aber kaum elektrisches Licht und nur eine Handvoll Telefonanschlüsse. Wenn ich richtig rechnete, dann war es heute bereits das zwölfte Mal gewesen, daß ich diesen Traum geträumt hatte. Ich nahm mir fest vor, zu einem Arzt zu gehen, wenn er sich noch einmal wiederholte. Auch wenn ich etwas gegen Gehirnklempner hatte –

besser, ich ging freiwillig zu einem, ehe ich hingebracht wurde.

Ich überlegte einen Moment, ob ich in mein Zimmer zurück- und wieder ins Bett gehen sollte, drehte mich dann aber vollends um und schlug die entgegengesetzte Richtung ein. Mary, unsere Haushälterin, wußte genau, wie sehr ich ihren Kaffee vergötterte, und pflegte stets eine Thermoskanne dieses höllisch starken, teerschwarzen Gebräus für mich in der Küche bereitzustellen, ehe sie das Haus verließ. Und ich hatte das sichere Gefühl, daß an Schlaf in dieser Nacht ohnehin nicht mehr zu denken war.

Als ich die Treppe hinunterging, sah ich das Leuchten. Die Tür zum Arbeitszimmer meines Großvaters war nur angelehnt, und durch den Spalt fiel ein schmaler, flakkernder Streifen grünlichen Lichts...

Mein Kopf schien noch immer nicht mit gewohnter Klarheit zu arbeiten, denn es dauerte wiederum ein paar Sekunden, bis ich begriff, daß das Licht tatsächlich grün war, von einem Grün, wie ich es nie zuvor gesehen hatte: ein bleicher, irgendwie kränklich wirkender Schein. Verwirrt blieb ich abermals stehen, dann ging ich schnell weiter, streckte die Hand aus und öffnete die Tür mit einem entschlossenen Ruck.

Im nächsten Augenblick wünschte ich, es nicht getan zu haben, denn was ich sah, war weit schlimmer als der Alptraum, aus dem ich gerade erwacht war, und ließ mich für einen Moment wirklich an meinem Verstand zweifeln. Mein Großvater stand vor der monströsen Standuhr, die die ganze Südwand des Arbeitszimmers beherrschte, und hatte beide Hände in einer erstarrten, abwehrenden Geste halb vor das Gesicht erhoben. Die vier unterschiedlich großen Zifferblätter der Uhr schienen wie unter einem inneren Feuer zu glühen, und ihre Zeiger kreisten wie wild. Die Tür der mannshohen Uhr stand offen, und das unheimliche grüne Leuchten, das das ganze Zimmer erhellte, kam direkt aus ihrem Inneren. Wo Pendel und Gewicht sein sollten, war nichts mehr, nur dieses schreckliche, flackernde grüne Geisterlicht, in dem sich etwas bewegte, das ich nicht genau erkennen konnte.

Sekundenlang stand ich wie angewurzelt da und starrte das unglaubliche Bild an, fassungslos und unfähig, mich zu rühren, ja, auch nur zu atmen, geschweige denn einen halbwegs klaren Gedanken zu fassen oder irgend etwas anderes zu empfinden als Schrecken und lähmendes Entsetzen.

Etwas berührte mein Bein. Ich fuhr zusammen, sah erschrocken an mir herab und erkannte Merlin, der mir auf seinen Samtpfoten lautlos nachgeschlichen war. Einen Augenblick lang stand er so reglos und starr da wie ich, dann sah ich, wie sich jedes einzelne Haar seines Fells sträubte, als stünde es unversehens unter Strom, sein Schweif auf doppelten Umfang anschwoll und sich kerzengerade aufrichtete und blitzartig achtzehn winzige, rasiermesserscharfe Miniaturdolche aus seinen Zehen klappten. Merlin fauchte, wie ich nie zuvor im Leben eine Katze habe fauchen hören, dann machte er auf der Stelle kehrt und raste wie der Blitz davon.

Mein Großvater zuckte erschrocken zusammen, als er Merlins Kreischen hörte, und fuhr mit einer Behendigkeit herum, die für einen Mann seines Alters schlichtweg unvorstellbar war. Sein Gesicht verlor alle Farbe. Für den Bruchteil eines Augenblicks starrte er mich fassungslos – und mit eindeutigem Entsetzen – an, dann wirbelte er abermals herum, packte die Tür und warf sie so heftig ins Schloß, daß die ganze Uhr erzitterte. Das grüne Leuchten und das unheimliche Glühen der Zifferblätter erlosch, und gleichzeitig hörten die Zeiger auf zu rotieren. Die Uhr war jetzt wieder nichts anderes als das, was sie gewesen war, solange ich sie kannte: ein mindestens hundert Jahre altes Monstrum, das treu und brav die volle Stunde schlug. Aber ich wußte, was ich gesehen hatte. Und der Ausdruck auf dem Gesicht meines Großvaters überzeugte mich endgültig davon, daß es keine Einbildung gewesen war. Auch wenn ich es gerne gehabt hätte.

»Was ... was war das?« murmelte ich fassungslos. »Mein Gott, was ist hier passiert?«

Mein Großvater antwortete nicht, sondern sah mich nur an. Er war bleich. Selbst jetzt, wo das unheimliche grüne Licht erloschen war und ich sein Gesicht wieder im normalen Schein der Deckenlampe sah, wirkte es totenblaß. Seine Hände zitterten.

»Was ist passiert?« fragte ich noch einmal und löste mich endlich aus meiner Erstarrung. Ich machte zwei, drei Schritte auf meinen Großvater zu und deutete dabei auf die Uhr. »Was war das?«

»Du ... du bist wach?« sagte Großvater verwirrt. Er versuchte zu lächeln – es mißlang kläglich –, fuhr sich nervös mit der Hand über das Kinn und sah abwechselnd mich und die Uhr an.

»Ich konnte nicht schlafen«, log ich. »Und ich dachte, ich hätte etwas gehört.« Heftig deutete ich auf die Uhr. »Was war das, Mac? Dieses Licht ...« Ich wandte mich um, trat an die Uhr heran und wollte die Hand nach der Tür ausstrecken, aber mein Großvater rief mich erschrocken zurück.

»Nicht, Robert!« sagte er, und in seiner Stimme schwang ein solches Entsetzen, daß ich mitten in der Bewegung innehielt und mich wieder zu ihm herumdrehte. »Rühr sie nicht an – bitte«, sagte er noch einmal. Ich gehorchte. Und ich spürte fast so etwas wie Erleichterung, als ich von der Uhr zurücktrat.

»Was ist hier passiert?« fragte ich zum dritten Mal.

Wieder sah mein Großvater mich lange Zeit schweigend an, aber diesmal war in seinem Blick eher etwas wie Trauer, nicht mehr der maßlose Schrecken, den er im allerersten Moment bei meinem Anblick empfunden hatte. Dann wandte er sich ab, schlurfte zum Schreibtisch und ließ sich schwer auf den ledergepolsterten Sessel dahinter fallen.

»Ich weiß es nicht«, murmelte er. Ich spürte, daß er log. Er sah mich nicht an, und seine Stimme klang jetzt wieder so fest und ruhig wie immer, aber ich hatte es stets gespürt, wenn mich jemand anlog. In dieser Beziehung hatte ich wohl so etwas wie einen sechsten Sinn. Irgendwann im Alter zwischen acht und neun Jahren hatte ich aufgehört, mir den Kopf darüber zu zerbrechen, warum das so war. Ich nahm es einfach hin. In unserer Familie waren ohnehin manche Dinge anders als in anderen.

Ich folgte meinem Großvater und wollte mich zu ihm setzen, aber er winkte rasch ab. »Sei ein Schatz und gieße deinem armen alten Großvater einen Whisky ein«, bat er. »Den brauche ich jetzt.«

Ich nickte, ging zu dem kleinen Teewagen neben der Tür, der uns als Bar diente, und goß zwei Gläser voller goldbraunem Scotch ein. Ich selbst nippte nur vorsichtig an dem hochprozentigen Gebräu – ich habe mir nie viel aus Alkohol gemacht –, aber mein Großvater kippte

17

sein Glas in einem Zug herunter, ohne auch nur mit der Wimper zu zucken. Seine Hand zitterte noch immer wie Espenlaub, als er mir das Glas hinhielt, damit ich es erneut füllte. Ich gehorchte, obwohl ich den Eindruck hatte, daß er es nur tat, um Zeit zu gewinnen.

»Also?« fragte ich, nachdem ich zurückgekommen war und zusah, wie er seinen zweiten Whisky wesentlich bedächtiger trank. Großvater zuckte mit den Achseln und starrte an mir vorbei ins Leere. »Ich konnte nicht schlafen«, begann er. »Du weißt, daß ich ... in letzter Zeit manchmal Schwierigkeiten habe einzuschlafen.«

Wieder eine Bemerkung, die keinem anderen Zweck diente als dem, Zeit zu gewinnen. Großvater schlief so gut oder so schlecht wie alle Leute seines Alters. Aber ich nickte.

»Ich ... hatte mir ein Buch genommen und ein wenig gelesen, als die Uhr schlug. Es war Mitternacht. Sie schlug, Robert. Dreizehn Mal.«

Ich starrte ihn an. »Dreizehn Mal?« vergewisserte ich mich.

Großvater nickte. »Ich täusche mich nicht«, sagte er. »Ich habe mir angewöhnt, die Schläge zu zählen, weißt du? Ich lese immer bis Mitternacht, dann lösche ich das Licht und versuche, doch noch ein paar Stunden zu schlafen. Als sie zum zwölften Mal schlug, habe ich mein Buch zugeklappt. Und dann schlug sie zum dreizehnten Mal.«

Fünf, zehn Sekunden lang starrte ich ihn an, dann drehte ich mich im Sessel um und sah zu der Uhr hinüber, diesem häßlichen, schrankgroßen Ungetüm, das mich schon immer gleichermaßen fasziniert wie abgestoßen hatte. Großvater hatte mir ihre Geschichte erzählt: Das Haus, in dem wir wohnten, war nicht so alt,

18

wie es aussah. Auf dem Grundstück Ashton Place Nr. 9 hatte seit jeher eine hochherrschaftliche Villa gestanden, aber Andara-House war vor hundert Jahren – ungefähr – niedergebrannt, wobei alle seine Bewohner ums Leben gekommen waren. Die Ursache dieser Katastrophe wurde nie geklärt. Von dem Haus waren nur die Grundmauern und die Kellergewölbe übriggeblieben – und diese Uhr, durch eine Laune des Zufalles völlig unbeschädigt, ja, ohne einen Rußfleck. Als mein Urgroßvater das Grundstück vor achtzig Jahren erwarb und Andara-House nach den Originalplänen wieder aufbauen ließ, da stellte er die Uhr wieder an dem Platz auf, an dem sie vorher gestanden hatte. Bisher war mir diese Geschichte nur ein bißchen sonderbar vorgekommen, allerhöchstens pittoresk – aber mit einemmal spürte ich einen eisigen Schauder. Ich war gar nicht mehr so sicher, daß es nur ein Zufall gewesen war.

Mühsam riß ich mich von dem Anblick los und wandte mich wieder meinem Großvater zu. »Und?«

»Ich ging herüber«, fuhr er fort, »und dann sah ich es: Die Tür stand offen, und dieses Licht...« Er sprach nicht weiter, als hätte er damit alles gesagt. Die Fortsetzung der Geschichte kannte ich zwar – trotzdem wußte ich, daß er in seinem Bericht das Wesentliche ausgespart hatte.

Großvater muß wohl gespürt haben, daß ich ihm nicht glaubte – natürlich, er kannte meine sonderbare Begabung, Wahrheit von Lüge zu unterscheiden, ja ebensogut wie ich –, denn er wich meinem Blick aus und verkroch sich wieder hinter seinem Glas. Als er es mir das dritte Mal zum Nachfüllen hinhielt, schüttelte ich den Kopf. Enttäuscht ließ er das Glas sinken, sagte aber nichts mehr.

19

»Was war das?« fragte ich noch einmal. Großvater ließ sich mit der Antwort Zeit. Schließlich seufzte er. »Ich weiß es nicht«, erklärte er. »Ich ... habe einen Verdacht, aber der ist zu phantastisch, um wahr zu sein. Und zu schrecklich.«

»Zu schrecklich?« Ich sah ihn sehr ernst und sehr eindringlich an. »Es betrifft mich, nicht wahr?« sagte ich dann. Großvater erwiderte meinen Blick schweigend, dann wandte er den Kopf ab und nickte. »Manchmal bist du mir unheimlich, Robert«, murmelte er. »Liest du meine Gedanken?«

»Es war nicht sehr schwer zu erraten«, antwortete ich – obwohl ich in diesem Moment selbst nicht so genau hätte sagen können, woher ich dieses Wissen bezog. »Ich hatte auch ein paar ... sonderbare Erlebnisse«, fügte ich hinzu, als ich seinen fragenden Blick bemerkte.

»So?« fragte Großvater. »Welche?«

Ich war drauf und dran, ihm von meinen Alpträumen zu erzählen – und warum eigentlich nicht? –, als etwas geschah, das mich erst einmal daran hinderte: Jemand läutete an der Tür. Großvater fuhr erschrocken zusammen. »Wer kann das sein?« fragte er.

Ich zuckte mit den Schultern. Besuch? Um halb ein Uhr morgens? Das war selbst für einen solch illustren Bekanntenkreis wie den unseren eine reichlich ungewöhnliche Zeit.

Ich stellte mein Glas auf den Tisch und stand auf, aber mein Großvater hielt mich mit einer raschen Bewegung zurück. »Geh nicht«, bat er.

»Wieso?« fragte ich. »Es muß wichtig sein, wenn jemand um diese Zeit –«

»Tu es nicht«, wiederholte er mit mehr Nachdruck. In

20

diesem Moment läutete es zum zweiten Mal. Und wer immer unten an der Tür stand, hielt den Finger jetzt wesentlich länger auf dem Klingelknopf. Ich schüttelte die Hand meines Großvaters ab und wandte mich endgültig um. Beim dritten Läuten würde der nächtliche Besucher den Klingelknopf vielleicht gar nicht mehr loslassen.

Aber die unübersehbare Furcht meines Großvaters hatte doch ihre Wirkung nicht ganz verfehlt – statt direkt zur Tür zu gehen, trat ich noch einmal an den Schreibtisch heran, öffnete die Schublade und nahm den kleinen Revolver heraus, der darin lag. Großvater blickte mich vorwurfsvoll an, aber er schwieg. Rasch verließ ich das Zimmer und stürmte die Treppe hinab.

Als ich auf den untersten Stufen angelangt war, schellte es zum dritten Mal – und unser später Gast tat genau das, was ich befürchtet hatte: Diesmal ließ er den Daumen auf dem Knopf. Das normalerweise melodiöse Läuten der Klingel schrillte wie eine Alarmsirene durch das stille Haus, so laut, daß man es in der gesamten Nachbarschaft hören mußte.

»Verdammt nochmal!« schrie ich. »Ich komme ja schon! Was soll das?« Wütend schob ich den Riegel zurück, riß die Tür auf – und starrte verblüfft auf einen daumennagelgroßen, mattgolden schimmernden Krawattenknopf. Eigentlich war nichts Außergewöhnliches an ihm – er war weder groß noch besonders geschmackvoll. Das einzig Auffallende war, daß er sich genau in Höhe meiner Augen befand. Er schmückte die Brust eines wahren Bergs von Mann, eines Kolosses von fast sieben Fuß Größe und geradezu absurder Schulterbreite. Sein Gesicht, das sich gut anderthalb Haupteslängen über mir befand, erinnerte mit den Hängebacken und den schweren Tränensäcken unter den Augen an eine mißgelaunte Bulldogge und wurde von einem streichholzkurz geschnittenen, feuerroten Haarschopf gekrönt.

Sekundenlang starrte ich den Goliath verblüfft an, dann beschloß ich, die meisten Unfreundlichkeiten, die ich dem nächtlichen Ruhestörer an den Kopf hatte werfen wollen, lieber für mich zu behalten, und raffte mich nur zu einem wenigstens halbwegs verärgerten »Was gibt es denn?« auf.

Goliath antwortete nicht, aber er blickte mich auf eine Art an, die mir gar nicht gefiel. Nur mit Mühe unterdrückte ich den Impuls, hastig zurückzuweichen und nach der Waffe in meiner Tasche zu greifen. Ich hatte ohnehin so meine Zweifel, daß sie mir von großem Nutzen sein würde – bei einem Burschen wie diesem wäre vielleicht eine Panzerfaust angebrachter gewesen. »Was kann ich für Sie tun, Sir?« fragte ich noch einmal.

Goliath blinzelte, trat zwei Schritte von der Tür zurück und die Treppe hinunter – wodurch sich unsere Gesichter wenigstens annähernd auf gleicher Höhe befanden – und drehte sich um. Erst jetzt sah ich, daß er nicht allein war.

Sein Begleiter war ein paar Meter vor dem Haus stehengeblieben, so daß ich ihn nur als schwarzen Umriß erkennen konnte. Einen Moment lang starrte ich den finsteren Schatten an, dann streckte ich entschlossen die Hand aus und schaltete die Außenbeleuchtung ein. Goliath blinzelte in das plötzliche grelle Licht, aber er sah auch im Hellen kein bißchen vertrauenerweckender aus als im Halbdunkel der Nacht.

Sein Begleiter wirkte auf seine Art beinahe noch bizarrer als der Riese. Er war ungefähr so groß wie ich, aber sehr viel schlanker, um nicht zu sagen dürr. Sein ausgemergeltes Asketengesicht wurde von einem schwarzen, sorgfältig ausrasierten Bart umrahmt und zwischen seinen dünnen, wie aufgemalt wirkenden Lippen qualmte eine stinkende schwarze Zigarre. Auf dem Kopf trug er einen Zylinder – ja, tatsächlich, einen Zylinder! – und auch der Rest seiner Kleidung war zwar pedantisch sauber und ordentlich, sah aber aus wie aus einem Kostümfundus: schwarzweiße Gamaschenschuhe, schmale Hosen und ein knappsitzender Cut, darunter ein weißes Hemd mit Stehkragen und Plastron. Seine Hände steckten in schwarzen ledernen Handschuhen, und in der Linken hielt er ein zierliches Stöckchen mit silbernem Knauf. Die beiden sahen aus, als wären sie gerade aus dem Wachsfigurenkabinett entsprungen.

»Bitte?« sagte ich noch einmal.

»Er isses, H. P.«, nuschelte der Riese. »Gar keen Zweifel nich. Er isses.«

Der mit H. P. Angesprochene nahm die Zigarre aus dem Mund und nickte. Sein Blick schien sich regelrecht an meinem Gesicht festzusaugen, verharrte ein paar Augenblicke darauf und glitt dann weiter zu meinem Haar. Nicht, daß ich das nicht gewohnt war. Es gibt immer wieder Leute, die mich für einen Punker halten, obwohl ich das gar nicht bin, ganz im Gegenteil. Aber Mutter Natur hatte sich bei meiner Konstruktion einen harmlosen, wenn auch äußerst lästigen Scherz erlaubt: In meinem ansonsten pechschwarzen Haar befindet sich eine schlohweiße, blitzförmig gezackte Strähne, die vom Scheitel bis zur linken Schläfe reicht. Und der Blick H. P.s weckte meinen Ärger erneut.

»Also, was kann ich für Sie tun?« fragte ich zum viertenmal.

H. P. gab sich einen sichtbaren Ruck und lächelte. »Mister . . . Craven?« fragte er.

Craven? Ich schüttelte den Kopf. »Tut mir leid«, antwortete ich. »Aber Sie müssen sich täuschen. Hier gibt es niemanden dieses Namens.«

H. P. sah mich erneut auf diese seltsam beunruhigende Art an. »Und mit wem habe ich dann das Vergnügen?« fragte er.

Allmählich platzte mir doch der Kragen. »Ich bezweifle, daß es ein Vergnügen wird, Sir«, sagte ich betont, »wenn Sie mir nicht sofort sagen, was Sie wünschen. Es ist halb ein Uhr nachts!«

H. P. seufzte, griff unter die Jacke und zog eine altmodische Taschenuhr hervor, die an einer dünnen goldenen Kette baumelte. Umständlich klappte er den Deckel auf, blickte auf das Ziffernblatt und sah dann wieder hoch. »Ihr Name ist Robert, nicht wahr?«

»Ja«, fauchte ich. »Aber nicht Craven, sondern Robert McFaflathe-Throllinghwort-Simpson IV., um ganz genau zu sein.«

Goliaths Mundwinkel begannen verdächtig zu zucken, als er meinen vollen Namen hörte. »Er isses«, nuschelte er noch einmal.

»Rowlf, bitte«, sagte H. P. Er lächelte entschuldigend, kam einen Schritt näher und zog an seiner Zigarre. Sie stank wie die Pest.

»Wir müssen mit Ihnen reden, Robert«, sagte er. »Bitte, es ist wichtig. Das Ganze hier mag Ihnen sonderbar erscheinen, aber —«

»Sonderbar?« unterbrach ich ihn. »Das ist untertrieben, Sir. Wenn es wirklich wichtig ist, dann kommen Sie morgen wieder – oder schreiben Sie mir.«

»Es geht um Ihren Vater«, sage H. P.

Mein Vater? Für einen Moment war ich verblüfft.

24

Meine Eltern waren gestorben, ehe ich drei Jahre alt war. Ich hatte nicht einmal mehr eine Erinnerung an sie – und Großvater sprach wenig über meinen Vater oder meine Mutter. Außerdem hatte ich im Moment anderes zu tun, als mich mit zwei Verrückten herumzuplagen. Ich dachte an Großvater, der jetzt allein mit dieser schrecklichen Uhr oben im Arbeitszimmer war.

»Es tut mir leid, Sir«, sagte ich, so beherrscht ich konnte. »Aber mein Vorrat an Humor ist im Moment reichlich beschränkt. Wenn Sie jetzt bitte gehen würden – Sie können mich gerne anrufen oder morgen nachmittag wiederkommen.«

Rowlf schien etwas sagen zu wollen, aber H. P. brachte ihn mit einem raschen Blick zum Schweigen und schüttelte nur traurig den Kopf. »Laß ihn«, sagte er. »Er hat recht. Wir haben einen... ungünstigen Zeitpunkt gewählt, scheint mir.«

Er wandte sich wieder an mich. »Bitte entschuldigen Sie die nächtliche Störung, Sir«, fuhr er fort. »Aber ich würde mich freuen, wenn Sie mich bei Gelegenheit aufsuchen würden.« Er griff in die Westentasche und förderte eine kleine, goldbedruckte Visitenkarte zutage, die ich in der Tasche meines Hausmantels verschwinden ließ, ohne auch nur einen Blick darauf zu werfen.

»Fragen Sie Ihren Großvater nach mir«, sagte er. »Ich bin sicher, er wird sich erinnern. Und entschuldigen Sie noch einmal die späte Störung.«

Ich entschuldigte nicht, sondern blickte ihn und Goliath nur finster an, und nach einer weiteren Sekunde drehte sich H. P. eindeutig verlegen um und begann den kiesbestreuten Weg zum Tor wieder hinabzugehen. Rowlf folgte ihm. Aber nach ein paar Schritten blieb H. P. noch einmal stehen, drehte sich zu mir herum und zog

25

in der gleichen Bewegung seine Taschenuhr hervor.

»Wie spät ist es, sagten Sie noch, Sir?« fragte er, während er den Deckel aufklappte.

»Fast halb eins«, knurrte ich. »Nachts.«

»Oh!« H. P. schien ehrlich überrascht. »Und ich hätte geschworen, daß ich die Uhr dreizehn schlagen gehört habe.« Er lächelte entschuldigend, klappte den Deckel wieder zu und ging.

Es dauerte fast zehn Sekunden, ehe das, was er gesagt hatte, in mein Bewußtsein drang. Aber dann fuhr ich zusammen wie unter einem elektrischen Schlag und war mit einem einzigen Satz die Treppe hinunter und hinter ihm her.

»Sir!« rief ich. »So warten Sie doch! Was haben Sie da gesagt?!«

Aber sowohl H. P. als auch Goliath schienen mit einemmal mit Taubheit geschlagen zu sein, denn sie gingen einfach weiter, ohne sich auch nur einmal umzudrehen. Als ich das schmiedeeiserne Gartentor erreichte – was immerhin eine Strecke von gut dreißig Yards war –, hatten sie bereits den Bürgersteig verlassen und waren dabei, die Straße zu überqueren.

Ich bemerkte erst jetzt, daß Nebel aufgekommen war – schwere, graue Schwaden, die reglos wie leuchtender Rauch in der Luft hingen, aber sehr dicht waren. Obgleich H. P. und sein strubbelköpfiger Begleiter nur wenige Schritte vor mir gingen, konnte ich sie nur mehr als vage Schemen erkennen. Und der Nebel war eiskalt.

»So warten Sie doch!« rief ich. Aber es war wie verhext – H. P. wollte oder konnte mich augenscheinlich nicht hören, denn er setzte seinen Weg in aller Ruhe fort, und dabei – es war richtig unheimlich – entfernten er und Rowlf sich mehr und mehr von mir, obwohl sie in

26

gemächlichem Schritt gingen, während ich aus Leibeskräften rannte. Als ich auf die Straße hinabsprang, hatten sie bereits die gegenüberliegende Seite erreicht und bestiegen ihr Fahrzeug: kein Auto, kein wartendes Taxi, sondern eine zweispännige Pferdedroschke, auf deren Bock Rowlf jetzt mit erstaunlicher Behendigkeit hinaufkletterte, während H. P. ohne sonderliche Hast den Schlag öffnete und hineinstieg. Ehe er die Tür schloß, wandte er mir noch einmal das Gesicht zu, und für einen Moment war mir, als begegneten sich unsere Blicke. Aber dann sah er weg, die Tür fiel zu und Rowlf hob seine Kutscherpeitsche. Fetzen grauen, feuchten Nebels schoben sich wie ein Vorhang zwischen mich und das unglaubliche Bild.

»So bleiben Sie doch stehen!« rief ich verzweifelt. »Warten Sie, Sir! Es tut mir leid!« Ich rannte, so schnell ich nur konnte, aber der Abstand zwischen mir und dem absurden Gefährt wurde einfach nicht kleiner. Wie in Zeitlupe sah ich Rowlf die Peitsche schwingen, die Pferde legten sich ins Geschirr, und das Fuhrwerk rollte an.

Ich mobilisierte noch einmal alle Kräfte, und für einen winzigen Moment glaubte ich sogar aufzuholen. Aber dann wurde der Nebel noch dichter, war plötzlich wie eine massive graue Wand, die die Welt zwei Schritte vor mir einfach geschluckt hatte, und ein unheimlicher, eisiger Hauch umwehte mich.

Irritiert blieb ich stehen, rief noch einmal H. P.s Namen und wartete vergeblich auf eine Antwort. Vor mir war nichts als graue Unendlichkeit, in der ich nur einmal für Sekundenbruchteile einen schwarzen, klobigen Schatten zu erkennen glaubte. Dann, so schnell und lautlos, wie er gekommen war, trieb der Nebel wieder auseinander. Nach wenigen Augenblicken waren die erstikkenden Schwaden spurlos verschwunden.

Und mit ihnen die Kutsche.

Es kam, wie ich es befürchtet hatte – an Schlaf war für den Rest dieser Nacht nicht mehr zu denken. Ich ging zurück ins Haus, verwirrter und – wenngleich ich das in diesem Augenblick nicht einmal mir selbst so recht eingestehen wollte – auch ein gutes Stück ängstlicher als zuvor, aber die große Aussprache mit meinem Großvater fand dennoch nicht mehr statt.

Er stand am Fenster, als ich ins Arbeitszimmer trat, es war also anzunehmen, daß er alles mit angesehen hatte. Auf meine dementsprechende Frage reagierte er aber nur mit einem stummen, gepeinigten Blick, schüttelte den Kopf und schlurfte an mir vorbei aus dem Zimmer, langsam, mit hängenden Schultern und so schleppenden Schritten, als trüge er eine unsichtbare Zentnerlast mit sich. Ich wollte ihn aufhalten, um endlich Klarheit auf all die Fragen zu bekommen, die mir durch den Kopf schossen, aber irgend etwas hielt mich davon zurück, was, wußte ich nicht. Vielleicht der Blick, mit dem er mich streifte, als er an mir vorbeiging. So blieb ich einfach nur wortlos stehen und sah ihm nach, während er aus dem Zimmer schlurfte und den Gang entlangging. Ich hörte die Tür seines Schlafzimmers ins Schloß fallen, und ich erinnere mich nicht, den Laut jemals als so düster und bedrohlich empfunden zu haben. In dem großen, leeren Haus klang es wie das Zuschlagen des steinernen Deckels einer Gruft. Plötzlich war mir kalt. Fröstelnd drehte ich mich um, blickte einen Moment lang die monströse Standuhr an und verließ dann ebenfalls das Zimmer. Aber ich ging nicht in mein Dachkammerreich zurück, sondern nach unten, in die Küche.

28

Wie ich es gehofft hatte, fand ich eine gefüllte Thermoskanne mit Marys köstlichem Kaffee vor, aus der ich
mich erst einmal ausgiebig bediente. Außerdem stieß
ich auf Merlin – er kauerte mit angelegten Ohren in der
Holzkiste, in der Mary die Küchenabfälle zu sammeln
pflegte; ein Zufluchtsort, der seinem vier Inches langen,
strahlendweißen Perserfell gewissermaßen den letzten
Schliff gab. Aber heute hielt ich ihm keine Standpauke,
wie ich es normalerweise tat, wenn er wieder einmal
vergessen hatte, daß er von Geburt weder ein Schwein
noch ein gemeiner Straßenkater war, sondern eine
Edelkatze. Ich pflückte ihn nur vorsichtig aus seinem
Versteck, zupfte ein paar Salatblätter und einen Ketch-
upfleck aus seinem Fell und setzte ihn auf meinen
Schoß. Merlin blickte mich mit einer Mischung aus
Furcht und Erleichterung an und begann zu schnurren
– was aber nicht unbedingt ein Zeichen für Zufriedenheit sein muß, wie die meisten Menschen glauben. Es
kann genausogut Angst ausdrücken. Und im Moment
war ich sogar ziemlich sicher, daß es genau das bedeutete.
Ich lächelte ihm zu – ich bezweifle, daß Katzen ein
menschliches Lächeln als wohltuend empfinden, aber
trotzdem – langte nach meiner Kaffeetasse und begann
ihn mit der anderen Hand zwischen den Ohren zu krau-
len.
»Du bist schon ein schöner Feigling, Merlin«, sagte ich.
»Aber du hast ja recht – hier stimmt etwas nicht.«
Merlin sagte: Maaaauu, richtete sich plötzlich auf meinem Schoß auf und versetzte mit seinem dicken Schädel der Kaffeetasse einen Stoß, der ihren Rand wuchtig
gegen meine Schneidezähne prallen und ihren Inhalt
zum Teil über sein Fell und zu einem weitaus größeren

Teil über meine Oberschenkel laufen ließ. Merlin kreischte und stob in heller Panik davon, und eine halbe Sekunde später sprang auch ich so heftig in die Höhe, daß mein Stuhl polternd umfiel. Der Kaffee war brühendheiß, und ich trug nichts außer dem dünnen Hausmantel; trotzdem spürte ich überhaupt keinen Schmerz, ich fühlte nicht einmal Wärme, und – und die Flüssigkeit, die sich als häßlicher dunkler Fleck rasch auf meinem Morgenmantel ausbreitete, war auch kein Kaffee!

Mein Herz schien auszusetzen, als ich sah, was in der Tasse gewesen war.

Es war ... Blut.

Der süßliche Geruch und die typische dunkelrote Farbe waren unverkennbar. In der Tasse war Blut gewesen!

Würgender Brechreiz kroch in meiner Kehle empor. Ich hatte keinen Tropfen getrunken, aber allein die Vorstellung ...

Mit aller Kraft ballte ich die Fäuste, so heftig, daß es weh tat, konzentrierte mich nur auf den Schmerz und schloß die Augen. Als ich sie nach ein paar Sekunden wieder öffnete, war zumindest die Übelkeit ein wenig abgeflaut. Trotzdem kostete es mich alle Überwindung, den Blick zu senken und abermals an mir herabzusehen.

Auf meinem Morgenrock prangte ein bräunlicher Fleck, und zwischen meinen Füßen bildete sich langsam eine große, dampfende Kaffeelache.

Ungläubig starrte ich beides an, bückte mich schließlich zögernd und hob die Tasse auf, die zu Boden gefallen war. Sie war zerbrochen, aber in einer der Scherben war noch ein Rest ihres Inhaltes zurückgeblieben. Vorsichtig schnupperte ich daran, tunkte schließlich den Finger hinein und berührte den winzigen Tropfen mit der Zunge.

Kaffee.

Kein Zweifel, das war unverkennbar Mary Winsloves berüchtigter schwarzer Kaffee, dafür bekannt, selbst Tote wieder aufzuwecken – oder Lebende umzubringen, je nachdem.

Aber das war doch unmöglich! Ich war doch nicht verrückt – oder?

Einen Moment lang zog ich auch diese Möglichkeit ganz ernsthaft in Betracht, verwarf sie aber schon nach ein paar Sekunden wieder. Ich hatte zwar keine persönlichen Erfahrungen mit Halluzinationen und Wahnvorstellungen, aber eines wußte ich genau – das hier war nichts dergleichen. Und es war auch keine Fortsetzung meines Alptraumes. Dazu war alles einfach eine Spur zu realistisch. Nein – hier ging etwas anderes vor.

Und ich würde herausbekommen, was. Jetzt. Auf der Stelle. Und wenn ich die Wahrheit aus meinem Großvater herausschütteln mußte – diesmal würde er mir nicht mehr mit irgendwelchen Ausflüchten davonkommen.

Entschlossen kickte ich die Scherben der Kaffeetasse unter die Anrichte, stürmte aus der Küche und lief, immer zwei Stufen auf einmal nehmend, in die erste Etage hinauf, wo das Schlafzimmer meines Großvaters lag.

Als ich es erreicht hatte, hatte sich meine Verärgerung zu einer ausgewachsenen Wut entwickelt. Zornig ballte ich die Faust, um damit gegen die Tür zu hämmern.

Aber ich tat es nicht.

Auf der anderen Seite der Tür war es nicht still. Aus dem Zimmer drangen Geräusche, und es dauerte diesmal nur einen Moment, bis ich sie identifizierte: Weinen.

31

Das leise, krampfhafte Weinen meines Großvaters.
Ich blieb fast zehn Minuten vor der Tür stehen und
hörte seinem Schluchzen zu, und ich kämpfte in jeder
einzelnen Sekunde dieser zehn Minuten mit mir, doch
noch anzuklopfen und hineinzugehen. Aber ich tat es
nicht. Es gibt gewisse Dinge, die selbst ich respektiere.
So leise ich konnte, ging ich in mein Zimmer zurück.
Aber ich fand keinen Schlaf in dieser Nacht. Und
eigentlich war ich fast froh darüber, denn ich war ziemlich sicher, daß ich keine angenehmen Träume gehabt
hätte.
Am nächsten Morgen verhalf ich Mary Winslove um
ein Haar zu einem Herzanfall – zumindest dem Gesichtsausdruck nach zu schließen, mit dem sie mich anstarrte, als ich die Treppe hinunterkam und ins Arbeitszimmer marschierte. Was aber an sich kein Wunder
war, denn sie mußte mich entweder für ein Gespenst
oder für todkrank halten: Schließlich war es noch nicht
einmal acht Uhr, und das Hauspersonal kannte meine
Vorliebe für langes und ausgiebiges Ausschlafen nur zu
gut. Ich habe es nie verstanden, wie ein normaler, ge-
sunder Christenmensch es fertigbringt, vor der Mit-
tagsstunde aus dem Bett zu steigen; ebensowenig, wie
ich je einen Hehl daraus gemacht habe, daß ich Störun-
gen vor elf Uhr vormittags als vorsätzliche Körperver-
letzung empfinde. Mary jedenfalls schien für einen Moment an ihrem Verstand zu zweifeln, als sie mich angezogen und frisch rasiert die Treppe herunterkommen
sah. Sie antwortete nicht einmal, als ich ihr ein fröhli-
ches Guten Morgen zurief und ihr beschied, mir das
Frühstück im Arbeitszimmer meines Großvaters aufzu-
tragen. Ganz echt war meine Fröhlichkeit allerdings
nicht. Ich war alles andere als ausgeschlafen und hatte

32

auch nicht viel Grund, guter Dinge zu sein. Doch jetzt, im ersten Licht des neuen Tages, sahen die Dinge schon nicht mehr ganz so unheimlich und bedrohlich aus wie gestern abend. Ich war sicher, daß sich eine Erklärung finden würde.

Während der Nacht hatte sich auch Merlin wieder zu mir gesellt, der mir nun treu wie ein Hund folgte – allerdings ließ er sich noch immer nur mit deutlichem Vorbehalt streicheln, und mein erster und einziger Versuch, sein Fell wenigstens halbwegs zu säubern, hatte mir einen gehörigen Kratzer auf der Hand eingetragen. Ich konnte ihm seine Reserviertheit nicht einmal übelnehmen. Zwar war ich nach Mary, die das Futter verwaltete, sein zweitbester Freund, aber umgekehrt hätte ich einem Kater auch mißtraut, in dessen Nähe sich plötzlich solch sonderbare Dinge ereigneten wie in meiner, ganz egal, wie lange ich ihn kannte. Immerhin gestattete er mir, ihm ein Schälchen Büchsenmilch zu kredenzen, nachdem Mary das Frühstück aufgetragen hatte, und als ich rücksichtsvollerweise so tat, als sehe ich es nicht, schleckte er sie auch gierig auf.

Merlin war mit der dritten Untertasse Büchsenmilch beschäftigt, als mein Großvater hereinkam, korrekt angezogen wie immer, aber noch immer ein bißchen blaß. Er schien kein bißchen überrascht zu sein, mich als Frühstücksgast zu erblicken, sondern nickte nur abwesend, ließ sich schwer in den Stuhl mir gegenüber fallen und griff kommentarlos nach seiner Kaffeetasse.

»Guten Morgen«, sagte ich betont.

Großvater sah auf, blickte mich an, als sehe er mich jetzt zum ersten Mal, und murmelte etwas, das sich mit sehr viel gutem Willen tatsächlich wie »N'Morgn« anhörte. Ich runzelte die Stirn, schwieg aber vorerst.

33

Ich ließ eine Minute verstreichen. Dann zwei. Schließlich fünf. Großvater machte keinerlei Anstalten, ein Gespräch zu beginnen, geschweige denn, mir irgend etwas zu erklären.

»Wundert es dich gar nicht, daß ich schon auf bin?« fragte ich endlich.

Großvater sah hoch, schüttelte den Kopf – und blickte wieder in seine Zeitung. Das tat er jeden Morgen. Aber normalerweise pflegte er nicht fünf Minuten lang ununterbrochen dieselbe Spalte anzustarren, ohne sie zu lesen.

»Du hast nicht gut geschlafen?« fragte er.

»Nein«, antwortete ich. »Aber du auch nicht.«

Das wirkte. Er blickte abermals hoch, ließ schließlich die Zeitung sinken und schüttelte andeutungsweise den Kopf.

»Glaubst du nicht, daß wir reden sollten?« fragte ich.

»Reden?«

Ich deutete mit einer Kopfbewegung auf die Standuhr. Übrigens hatte ich es bisher fast krampfhaft vermieden, sie auch nur anzusehen. »Zum Beispiel darüber«, sagte ich. »Oder über einen gewissen H. P., der zu nachtschlafender Zeit an der Tür läutet und dann im Nebel verschwindet. Du kennst ihn.« Das Fragezeichen, das ich eigentlich ans Satzende hatte setzen wollen, verbiß ich mir im letzten Augenblick, als ich sah, wie Großvater bei der Erwähnung dieses Namens zusammenfuhr. »Ich ... bin ihm einmal begegnet«, antwortete er stockkend. »Aber es ist lange her. Ich hatte ihn vergessen.«

Seine Ruhe täuschte mich nicht. Unter der aufgesetzten Maske des englischen Gentleman, den nichts zu erschüttern vermochte, zitterte er wie Espenlaub. Plötzlich tat er mir leid, und ich kam mir gemein dabei vor,

diesem alten Mann so zuzusetzen. Aber ich mußte es
tun.

»Bitte, Mac«, fuhr ich fort, sehr viel leiser, aber in kaum
weniger drängendem Ton. »Was geht hier vor? Was
war das gestern abend?«

Großvater schwieg lange, endlose Sekunden, und als er
endlich sprach, da war seine Stimme völlig verändert:
brüchig und schwach und mit einem deutlich hörbaren
Unterton von Furcht. »Du hast wohl recht«, sagte er.
»Ich werde es dir erklären. Das heißt, soweit ich es
kann. Ich hätte es schon längst tun sollen«, fügte er
noch leiser hinzu. Er stand auf, blickte einen Moment
lang zur Uhr hinüber und ging dann zur Tür. Ich hörte,
wie er nach Mary rief. Es dauerte nur ein paar Augenblicke, bis sie kam und nach seinen Wünschen fragte.
»Sorgen Sie bitte dafür, daß wir nicht gestört werden«,
sagte Großvater. »Keine Besucher oder Telefonanrufe.«
Er schloß die Tür, drehte sich wieder herum und ging
zum Kamin. Seine Hand tastete nach dem großen, ge-
schmacklosen Bild mit dem goldenen Rahmen, das darüber hing und verharrte einen Moment. Etwas klickte,
und dann klappte das ganze Kitschkunstwerk beiseite.
Dahinter kam die Tür eines kleinen, aber äußerst stabil
aussehenden Wandtresors zum Vorschein.

Ich war verblüfft, gelinde gesagt. Immerhin war ich in
diesem Haus aufgewachsen und hatte mir eingebildet,
jeden Zentimeter davon zu kennen – aber bisher hatte
ich nur von dem alten, kaputten Safe im Salon gewußt,
über dessen Nutzlosigkeit mein Großvater und ich
schon so oft gelacht hatten. Und da war noch etwas.
Der Tresor hatte kein Schloß. Kein Schlüsselloch, und
auch kein Kombinationsschloß. Die Tür schwang wie
von Geisterhand bewegt auf, als mein Großvater sie mit

den Fingerspitzen berührte. Für einen Moment kam mir vor, als würde er dabei irgend etwas murmeln, aber das mußte eine Täuschung sein. So weit, daß ich an Zaubersprüche á la Sesam öffne dich glaubte, war ich nun doch noch nicht.

Großvater griff in den Tresor, wuchtete etwas heraus, das sich als großformatiges, in schwarzes, steinhartes Leder gebundenes Buch entpuppte, und trug es ächzend zum Tisch. Es schien sehr schwer zu sein, aber er schüttelte nur den Kopf, als ich ihm helfen wollte. Das kleine Beistelltischchen wackelte bedrohlich unter dem Gewicht des riesigen Buches, als er es darauf ablud. Merlin fauchte und verschwand unter dem Bücherregal.

Ich beugte mich neugierig vor und versuchte einen Blick auf den Titel des Buches zu werfen, aber die Buchstaben waren so verblichen, daß ich sie nicht entziffern konnte. Großvater sah mich an, legte die Hand auf das Buch und atmete hörbar ein.

»Du mußt mir etwas versprechen, Robert«, sagte er.

»Sicher«, antwortete ich. »Alles, was du willst.«

»Nein.« Großvater schüttelte den Kopf. »Nicht so. Ich meine wirklich versprechen. Schwöre es mir, bei allem, was dir heilig ist, Robert. Versprich es mir, als wäre dies das letzte Versprechen, das ich dir auf dem Sterbebett abnehme.« Wie nahe er damit der Wahrheit kam, ahnten in diesem Moment weder er noch ich, und trotzdem ließen seine Worte einen raschen Schauder über meinen Rücken rinnen.

»Was ist es?« fragte ich.

»Du darfst mit niemandem darüber reden«, antwortete Großvater. »Niemand außer dir darf von der Existenz dieses Buches erfahren, Robert, niemand, ganz egal, wer er ist und wie sehr du ihm vertraust. Und du darfst mit niemandem über das reden, was ich dir jetzt erzählen werde. Schwörst du mir das?«

»Ich verspreche es«, antwortete ich mit feierlichem Ernst. Und ich meinte es so, wie ich es sagte.

Großvater nickte, schlug mit einer bedächtigen Bewegung das Buch auf und begann darin zu blättern. Ich sah, daß die einzelnen Seiten aus dünnem, im Laufe unzähliger Jahre brüchig gewordenem Pergament nur zum Teil mit lesbaren Buchstaben beschriftet waren. Ein großer Teil des Textes bestand aus verwirrenden Hieroglyphen, die keiner mir bekannten Sprache entstammten, und aus scheinbar sinnlosen Zeichnungen und Bildern. Großvater blätterte eine Weile in dem Band, bis er die gesuchte Stelle gefunden hatte, dann stand er seufzend auf und bedeutete mir mit einer Geste, seinen Platz einzunehmen und zu lesen.

Die Welt war jung, und das Licht der Sonne hatte noch kein Leben geboren, als sie von den Sternen kamen, entzifferte ich. Verwirrt sah ich auf und runzelte die Stirn. »Was soll dieser Unsinn?« fragte ich. »Ich wollte mit dir reden, keine Science-Fiction-Romane lesen.«

Aber Großvater blieb ernst. »Lies«, sagte er. »Lies es. Danach reden wir.« Einen Moment lang blickte ich ihn verwundert an, dann gehorchte ich und senkte den Blick wieder auf die engbeschriebene Buchseite.

Die Welt war jung, und das Licht der Sonne hatte noch kein Leben geboren, als sie von den Sternen kamen. Sie waren Götter, gewaltige Wesen, unbeschreiblich böse und bar jeder Empfindung, die nicht Haß oder Tod war. Sie kamen auf Wegen, die durch die Schatten führten, und setzten ihren Fuß auf eine Erde, die kahl und leer war. Und sie nahmen sie in Besitz, wie sie zuvor schon Tausende von Welten in Besitz genommen hatten,

37

manchmal nur für kurze Zeit, manchmal für Ewigkeiten, ehe sie wieder in ihr kaltes Reich zwischen den Sternen zurückkehrten, um Ausschau nach neuen Welten zu halten, über die sie ihre scheußlichen Häupter erheben konnten.

Sie nannten sich selbst die Großen Alten und ihre Macht war grenzenlos. Allen voran stand Cthulhu, der oktopoide Herr des Schreckens und der Schatten, sein Element war das Meer, doch ebenso mühelos vermochte er sich an Land und in der Luft fortzubewegen.

Ihm zur Seite, und kaum geringer an Macht und Bosheit, standen Jog-Sothoth, Der-Alles-In-Einem-Und-Einer-In-Allem, Azathoth, Der-Blasenschlagende-Im-Zentrum-Der-Unendlichkeit, Schudde-Mell, Der-Ewig-Eingegrabene-Und-Herrscher-Über-Die-Finsteren-Reiche-Der-Höhlen, Schab-Niggurath, Die-Schwarze-Ziege-Mit-Den-Tausend-Jungen, und letzlich Nyarlathoteg, Die-Bestie-Mit-Den-Tausend-Armen.

In ihrem Gefolge kamen auch andere Wesen, Wesen von geringerer Macht, doch auch sie schrecklich in ihrem Zorn: Wendigo, Der-Auf-Dem-Wind-Geht, Glaaki, Der-Kometengeborene, der unaussprechliche Hastur und Tsathoggua, Jibb-Tsstl, der flammende Cthugha und Schodagoi.

Ihre Zahl ist Legion, und ein jeder war beseelt von alleszerstörendem Haß. Äonen lang herrschten sie über die Erde, und um ihre Macht zu festigen, erschufen sie sich Diener, schreckliche Geschöpfe aus dem Stoff, aus dem Leben entsteht, widerwärtige Kreaturen, deren Gestalt sie nach Belieben formen konnten und die ihre Hände und Arme, ihre Beine und Augen wurden.

Aber so mächtig die Großen Alten auch waren, so gering war ihre Voraussicht. Millionen um Millionen

Jahre herrschten sie über die Erde und ihre Kreaturen, und sie merkten nicht, daß die, die sie selbst erschaffen hatten, sich gegen sie aufzulehnen und Pläne gegen ihre Herrschaft zu schmieden begannen.

Dann kam es zum Krieg.

Die unterdrückten Völker der Erde, allen voran die Schoggothen, die die Großen Alten selbst erschaffen hatten, standen gegen die finsteren Götter auf und versuchten ihr Joch abzuschütteln. Die Erde brannte, und der Krieg der Giganten verwüstete ihr Antlitz in einer einzigen feurigen Nacht.

Die Großen Alten obsiegten, doch ihr blasphemisches Tun rief andere, mächtigere Wesenheiten von den Sternen herbei, die Älteren Götter, die seit Anbeginn der Zeiten im Bereich der roten Sonne Beteigeuze schlafen und über Wohl und Wehe des Universums wachen. Sie mahnten die Großen Alten, in ihrem Tun innezuhalten und nicht an der Schöpfung selbst zu rühren.

Aber in ihrem Machtrausch mißachteten die Großen Alten selbst diese letzte Warnung und lehnten sich gegen die Älteren Götter auf, und abermals kam es zum Krieg, einem gewaltigen Kräfteringen derer, die von den Sternen gekommen waren, und derer, die noch dort lebten. Die Sonne selbst verdunkelte ihr Antlitz, als die Mächte des Lichts und die Mächte der Finsternis aufeinanderprallten, und die Erde gerann zu einem flammenden Brocken aus Lava.

Schließlich siegten die Älteren Götter, aber nicht einmal ihre Macht reichte aus, die Großen Alten zu vernichten, denn was nicht lebt, kann nicht getötet werden. Und so verbannten sie die Großen Alten von diesem verwüsteten Stern.

Cthulhu ertrank in seinem Haus in R'lyeh und liegt seit

Äonen auf dem Grund des Meeres. Azatoth erwürgte der Schlamm der finsteren Sümpfe, die sein Lebenselement gewesen waren. Schudde-Mell wurde verschlungen von feuriger Lava und Fels, und all die anderen Kreaturen und Wesen wurden verstreut in alle Winde und verbannt in finstere Kerker jenseits der Wirklichkeit.

Zweimal hundert Millionen Jahre sind seither vergangen, und seit zweimal hundert Millionen Jahren warten sie. Denn das ist nicht tot, das ewig liegt, bis daß der Tod die Zeit besiegt...

Lange Zeit, nachdem ich mit der Lektüre der Seite fertig war, herrschte Schweigen im Zimmer. Die letzte Zeile hallte in mir unheimlich nach, trotz ihrer scheinbaren Sinnlosigkeit. *Das ist nicht tot, das ewig liegt, bis daß der Tod die Zeit besiegt...*

Ich schauderte. Die Worte hatten etwas in mir berührt, eine Saite in mir zum Schwingen gebracht, von deren Existenz ich bisher nichts geahnt hatte. *Das ist nicht tot, das ewig liegt, bis daß der Tod die Zeit besiegt...*

Das Lächeln, mit dem ich hochsah und meinen Großvater anblickte, kostete mich mein letztes bißchen Kraft. »Interessant«, sagte ich. »Und was ... soll das?«

Großvater antwortete nicht.

»Das ist Lovecraft, nicht?« fuhr ich nach einer Weile fort. »Aber es ist nicht ganz korrekt zitiert.«

Großvater schüttelte den Kopf. »Nein«, sagte er ernst. »Umgekehrt, Robert. Lovecraft hat aus diesem Buch zitiert. Und wohlweislich nicht ganz korrekt.« Einen Moment lang starrte er mich noch durchdringend an, dann stand er auf, klappte das Buch zu und trug es zum Safe zurück. Die zollstarke Panzertür schloß sich so lautlos, wie sie aufgegangen war.

»Du hast alle Romane von Howard Phillips Lovecraft gelesen, nicht wahr?« fuhr Großvater fort, nachdem er auch das Ölgemälde an seinen alten Platz gebracht und sich wieder gesetzt hatte.

Ich nickte. »Natürlich. Du selbst hast mir die Bücher gegeben, und auch die von C. A. Smith, Leiber ... alles über den Cthulhu-Mythos. Aber du ...«

Ich sprach nicht weiter, als ich Großvaters Blick bemerkte. Er hörte mir aufmerksam zu, als wartete er darauf, daß ich etwas aussprach, etwas ganz Bestimmtes, das ich längst wußte und mir nur noch nicht eingestehen wollte.

»Das meinst du nicht wirklich«, sagte ich schließlich. »Lovecraft und all die anderen zitieren aus dem Necronomicon, aber das ... das ist doch nur ein erfundenes Buch. Ich meine, der ganze Cthulhu-Mythos ist doch nur erfunden!« Bei den letzten Worten nahm meine Stimme einen eindeutig hysterischen Klang an. Ich schrie fast.

»Nein«, sagte Großvater ruhig. »Das ist er nicht.«

Eine eisige Hand schien nach meinem Herzen zu greifen und ganz langsam zuzudrücken. »Du ... du willst damit sagen, daß ... daß dieses Buch ...«

»Das Necronomicon ist«, vollendete Großvater den Satz, den ich einfach nicht mehr weitersprechen konnte. »Das echte Necronomicon, Robert. Das einzige Exemplar, das existiert. Ja. Genau das will ich sagen.«

Ich starrte ihn an. Mein Großvater war ein komischer alter Kauz, dafür bekannt, immer für einen unverhofften Scherz gut zu sein – aber diesmal wußte ich einfach, daß er die Wahrheit sagte.

Endlich, nach mehr als fünf Minuten, in denen wir einander nur schweigend angestarrt hatten, fand ich müh-

41

sam meine Sprache wieder. »Und wie ... kommt es in ... in deinen Besitz?« fragte ich stockend.

»Es gehört mir nicht, Robert«, antwortete Großvater. »Ich verwahre es nur.«

Ich wußte ganz genau, was jetzt kam, aber ich fragte trotzdem: »Und wem gehört es?«

Großvater senkte den Blick. Seine schmalen, sehnigen Hände begannen mit einem Zipfel des Taschentuches zu spielen, ohne daß er es auch nur bemerkte. »Es gehörte deinem Vater, Robert. Und jetzt gehört es dir.«

»Mir.« Ich war nicht einmal erschrocken. Alles, was seit gestern abend geschehen war, war so irreal – und gleichzeitig so entsetzlich wahr –, daß ich einfach nicht mehr in der Lage zu sein schien, Schrecken zu empfinden.

»Der Mann, der gestern nacht bei uns war«, fuhr Großvater fort. »H. P. Erinnerst du dich an den Namen, den er nannte?«

Ich nickte. Großvater hatte also unsere kleine Unterhaltung mit angehört, Wort für Wort, genau wie ich vermutet hatte. »Robert Craven«, sagte ich.

»Das war der Name deines Vater.«

»Meines ... Vaters?« antwortete ich überrascht. »Aber war er denn nicht –«

»Mein Sohn?« Großvater schüttelte traurig den Kopf. »Nein, Robert, das war er nicht. Ich habe ihn nicht einmal gekannt.«

Diesmal war ich wirklich schockiert. Wenn Großvater die Wahrheit sagte, dann bedeutete das nicht mehr und nicht weniger, als daß so ziemlich alles, was ich bisher über mich und meine Familie zu wissen geglaubt hatte, falsch war.

»Dann bist du auch nicht mein Großvater«, sagte ich

leise.

Großvater seufzte. Es klang fast wie ein Schmerzens-laut. »Nein«, gestand er. »Wir sind nicht miteinander verwandt, wenn du das meinst. Nicht wirklich. Aber das ändert doch nichts – oder?«

»Natürlich nicht«, sagte ich hastig, als ich die plötzliche Angst in seinem Blick bemerkte. Aber ganz sicher war ich nicht.

»Gut. Ich... ich hätte es dir längst sagen müssen, ich weiß. Aber ich konnte es nicht. Ich habe es hundertmal versucht, und hundertmal bin ich gescheitert. Ich wollte es, Robert, und gleichzeitig wollte ich es nicht. Ich wollte dir all dies ersparen. Aber so, wie die Dinge lie-gen...« Er sprach nicht weiter, aber sein Blick wan-derte zu der gräßlichen Uhr. »Ich werde dir die ganze Geschichte erzählen«, fuhr er nach einer endlosen Pause fort. »Von Anfang an.«

»Du mußt es nicht«, sagte ich leise, »wenn du nicht willst. Warum lassen wir nicht alles so, wie es war?« Ich versuchte zu lachen, aber es mißlang. »Du bleibst mein lieber alter Großvater Mac und ich dein verwöhnter En-kel Robert, der seine Tage mit Nichtstun und Bücherle-sen verschwendet.«

»Ich wollte, ich könnte es«, seufzte Großvater. »Aber es geht nicht. Vielleicht habe ich schon zu lange gewartet. Ich... ich habe einfach gehofft, daß uns noch Zeit ge-nug bliebe. Nach meinem Tod hättest du sowieso alles erfahren.«

»Wieso?«

»Spätestens bei der Testamentseröffnung«, antwortete Großvater. »Du hast geglaubt, du wärst mein Erbe, nicht?« Er lächelte auf sonderbare Weise. »Du dachtest, eines Tages würdest du all dies hier erben, dieses Haus,

43

mein Vermögen, die Ländereien in Kent und die Reederei?«

»Nun«, sagte ich ein wenig verlegen, »ich dachte – «

»Das wirst du nicht«, fuhr Großvater ungerührt fort. »Es
gehört dir nämlich schon. Es hat dir immer gehört.«

»Wie?« machte ich.

»Mein Barvermögen beläuft sich auf die Summe von
dreiundzwanzig Pfund Sterling«, sagte er. »Genau diesen Betrag hatte ich in der Tasche, als ich auf...« Er
stockte einen winzigen Moment und verbesserte sich.
»Als ich damals nach London kam.« Großvater machte
eine weit ausholende Geste. »Dies alles hier gehört dir,
seit dem Tage deiner Geburt. Es wurde mir nur anver-
traut, mehr nicht.«

»Und wer... bist du wirklich, wenn nicht mein Großvater?« fragte ich stockend. Großvater lächelte dünn. »Ein
armer Schlucker, Robert«, antwortete er. »Eine Null,
wir ihr jungen Leute es heute nennen würdet. Ich kam
mit nichts in den Taschen hierher, und ich wäre wahrscheinlich in der Gosse geendet, oder mit einem Messer zwischen den Rippen, hätte ich damals nicht
einen... einen Fremden getroffen.« Er machte eine
Kunstpause, schenkte sich einen neuen Kaffee ein und
trank sehr langsam.

»Ich war ein Abenteurer«, fuhr er fort. »Jemand, der es
weder mit der Wahrheit noch mit dem Besitz anderer
Leute immer so genau nahm.« Er grinste. »Ich hätte dir
gefallen, damals, glaube ich. Ich war jung und hatte jene
Menge Flausen im Kopf, als ich nach London kam. Und
um ein Haar hätte ich schon meinen ersten Tag hier
nicht überlebt. Ich... verirrte mich in eine verrufene
Gegend, weißt du, und ehe ich wußte, wie mir geschah,
hatte ich vier Burschen am Hals, die es auf meine Brief-

tasche abgesehen hatten. Ich schlug einen nieder und konnte fliehen, aber sie verfolgten mich. Sie holten mich ein, und einer fiel mit einem Messer über mich her.« Ich riß die Augen auf und starrte ihn an. Was er da erzählte, war genau mein Traum. Aber das war doch unmöglich!

Mein Großvater fuhr fort, ohne von meinem Erstaunen sichtbare Notiz zu nehmen: »Ich glaube, er hätte mich ermordet, wenn nicht unverhofft Hilfe aufgetaucht wäre: ein Fremder, den ich noch nie gesehen hatte. Es sah ganz harmlos aus, aber er verdrosch die drei Messerstecher nach Strich und Faden, kann ich dir sagen. Und anschließend nahm er mich mit hierher.«

»Hierher?«

»Nicht direkt hierher«, antwortete Großvater. »Das Haus stand damals noch nicht, weißt du? Er nahm mich mit in sein Hotel, und er unterbreitete mir einen Vorschlag, der so absurd klang, daß ich ihn am liebsten ausgelacht hätte. Er... war nicht allein. Er hatte ein Kind bei sich. Ein Neugeborenes, gerade ein paar Tage alt. Er schlug mir vor, mich dieses Kindes anzunehmen. Ich hatte kein Geld, ich war selbst noch ein halbes Kind und hatte überhaupt keine Ahnung, was ich mit dem Säugling tun sollte, aber er sagte, er würde sich um alles kümmern. Ich sollte ihm nur versprechen, mit niemandem darüber zu reden, für alles andere würde gesorgt, einschließlich eines gehörigen Einkommens. Um ehrlich zu sein, ich hielt ihn für komplett verrückt, aber ich schlug ein – was hatte ich zu verlieren?«

»Und dieses Kind war – «

»Eines nach dem anderen, Robert«, unterbrach mich Großvater. »Die Geschichte geht noch weiter. Jener Fremde gab mir neue Kleider, mehr Geld, als ich als

45

Landstreicher und Gelegenheitsdieb in einem ganzen
Jahr verdienen konnte, und neue Papiere und verschwand. Wenige Tage später erhielt ich eine Depesche
von einem namhaften Londoner Notar, in der ich in
seine Kanzlei gebeten wurde. Ich ging hin, obwohl mir
die Sache immer spanischer vorkam. Aber ich hatte zu-
gesagt, und das Geld – und auch das Abenteuer – reiz-
ten mich.«
»Und?« fragte ich, als er wieder nicht weitersprach, sondern nur an mir vorbei ins Leere starrte.
»Man überschrieb mir dieses Haus«, fuhr er fort. »Es
war damals nur eine Ruine, gerade erst niedergebrannt,
aber ich bekam genug Geld, um es nach den Originalplänen wieder aufzubauen. Es gab nur zwei Bedingun-
gen – daß ich diese Uhr niemals von ihrem Platz ent-
ferne und niemandem vom Inhalt des Wandsafes er-
zähle.«
In seiner Geschichte war ein Fehler, und es dauerte nur
Sekunden, bis ich dahinterkam.
»Aber dieses Haus brannte vor hundert Jahren nieder!«
sagte ich.
Großvater nickte. »Ich weiß. Das versuche ich dir ja die
ganze Zeit beizubringen, Robert. Es war nicht mein Vater, der dieses Haus wiederaufbauen ließ. Ich war es
selbst.«
»Du?« Ich schüttelte verstört den Kopf. »Aber das ist unmöglich. Du bis neunzig, und der Brand – «
»Nein«, sagte Großvater. »Das bin ich nicht. Es hat mich
große Mühe gekostet, mein Geheimnis zu bewahren,
aber bis heute ist es mir gelungen. Ich bin genau ein-
hundertachtzehn Jahre alt, Robert. Und das Kind, das
der Fremde damals bei sich hatte, bist du.«
Das Gefühl von Hysterie, gegen das ich schon die ganze

Zeit über kämpfte, wurde stärker. »Das ist nicht wahr«, sagte ich. »Das kann nicht stimmen.« Ich lachte schrill. »Deinen Humor in Ehren, Mac, aber... ich wüßte es, wenn ich hundert Jahre alt wäre. Ich bin zwanzig.«

»Meine Geschichte ist noch nicht zu Ende«, fuhr Großvater ungerührt fort. »Ich tat alles, was man von mir verlangte. Ich führte ein bürgerliches Leben. Ich wurde bekannt, nahm meinen Platz in der Gesellschaft ein, und als es Zeit wurde, verschwand ich und tauchte ein paar Jahre später als mein eigener Sohn wieder auf, der angeblich in Europa aufgewachsen war. Jedermann glaubte mir – wer wäre schon auf die Idee gekommen, daß ich so etwas wie ewige Jugend geschenkt bekommen hatte? Ich glaubte es ja selbst nicht, doch es war so. Oh, ich alterte, aber langsam, sehr langsam. Und nach und nach vergaß ich den eigentlichen Grund meines Reichtums und meiner ewigen Jugend.«

»Bis der Fremde wieder auftauchte«, vermutete ich.

Großvater nickte. »Ja. Es war vor genau zwanzig Jahren. Er... er war keinen Tag älter geworden, und auch das Kind, das er bei sich hatte, war noch immer ein schreiender Säugling. Es war, als hätten beide die achtzig Jahre einfach übersprungen.« Er schnippte mit den Fingern. »Er kam, um mich an mein Versprechen zu erinnern. Und er tat noch mehr. Er... erzählte mir, wer du wirklich bist.«

»Und wer bin ich?« fragte ich gepreßt.

Großvater sah mich sehr ernst an. »Der, als den dich H. P. gestern nacht angesprochen hat«, antwortete er. »Dein wirklicher Name lautet Robert Craven II, der Sohn Robert Cravens, des Hexers.«

47

Der Hexer. Robert Craven, der Mann, der die Mächte der Finsternis gegen sich aufgebracht hatte und schließlich von ihnen getötet worden war ... Robert Craven.

Es war wieder Abend. Der Himmel über dem gläsernen Dach meines Studios begann sich bereits mit dem ersten kränklichen Grau der hereinbrechenden Dämmerung zu überziehen, aber ich registrierte es kaum; so wenig, wie ich den Rest des Tages bewußt wahrgenommen hatte. Großvater und ich hatten noch lange miteinander geredet, so lange, bis Mary schließlich zaghaft gegen die Tür klopfte und uns zum Lunch rief, aber nichts von alledem, worüber wir gesprochen hatten, hatte mich so schockiert wie dieser Name.

Natürlich wußte ich, wer Robert Craven war. Ich hatte es auch schon vor meinem Gespräch mit H. P. gewußt, nur war ich in der vergangenen Nacht viel zu aufgeregt gewesen, um mich zu erinnern. Über kurz oder lang kam niemand, der sich wie ich für okkulte Dinge und gewisse absonderliche Vorgänge interessierte, an diesem Namen vorbei. Er hatte vor etwa hundert Jahren gelebt, und es hieß, er hätte sich mit uralten, finsteren Mächten eingelassen, die ihn am Ende auch umgebracht haben sollen. Diesen Teil der Geschichte hatte ich allerdings für eine reine Legende gehalten; sicher war nur, daß es einen Mann namens Robert Craven gegeben hatte und daß er unter höchst sonderbaren Umständen ums Leben gekommen war – aber Dämonen? Zweihundert Millionen Jahre alte Götter, die von den Sternen gekommen waren und auf ihr Wiedererwachen warteten? Lächerlich. Und nun eröffnete mir mein Großvater mit einemmal, dieser Mann sei mein Vater gewesen und – auch das hatte er bisher vor mir verheimlicht – er sei vor ganz genau einhundert Jahren in diesem Haus umgekommen. Okay – rein verstandesmäßig versuchte ich nach wie vor hartnäckig, mich davon zu überzeugen, daß das alles ausgemachter Schwachsinn war und mein Großvater allmählich wirklich senil zu werden begann; aber da war noch eine andere, nicht weniger beharrliche Stimme in mir, die stur behauptete, daß sich alles wirklich ganz genau so abgespielt hatte, wie er sagte.

Aber das war unmöglich! Die Geschichte mit den zusätzlichen achtundzwanzig Lebensjahren, die mein Großvater für sich beanspruchte, hätte ich ihm ja schlimmstenfalls noch geglaubt, aber das, was er über mich erzählt hatte? Niemand kann achtzig Jahre einfach überspringen, mit einem Fingerschnippen, und ich war zwanzig Jahre alt, keine hundert!

Es wurde vollends dunkel. Der Himmel über mir überzog sich mit samtener Schwärze, und vor dem Fenster erschimmerte die Lichterglocke der City, aber ich lag noch immer reglos auf dem Bett und zermarterte mir das Hirn. Es mußte einfach eine rationale Erklärung für all das geben, was ich in den letzten vierundzwanzig Stunden erlebt hatte!

Entschlossen stand ich auf. Eines der ersten Dinge, die mir mein Großvater beigebracht hatte, war, daß man jedes Problem klären konnte, wenn man es nur mit Logik anging. Es gab keine unlösbaren Rätsel, nur Antworten, die noch nicht gefunden waren. Ich würde hinuntergehen und mir dieses sonderbare Buch noch einmal ansehen, und wenn es sein mußte, auch die schreckliche Uhr.

Anders als gestern abend war das Haus jetzt nicht still, sondern noch von Leben erfüllt. Unten in der Küche hörte ich Mary hantieren, und aus dem Speisezimmer,

49

wo eines der Mädchen den Tisch abräumte, drang Geschirrgeklapper. Und anders als heute morgen sorgte mein Erscheinen diesmal auch nicht für allgemeines Kopfschütteln – schließlich war es gerade acht, also die Zeit, zu der ich normalerweise erst allmählich munter zu werden begann. Selbst Merlin fand langsam wieder in seinen gewohnten Trott zurück und folgte mir wie ein Hund.

Ich näherte mich dem Arbeitszimmer meines Großvaters, zögerte aber dann doch, die Tür zu öffnen, und ging stattdessen weiter, die nächste Treppe hinunter und in die Küche. Das Necronomicon und die Uhr liefen mir nicht davon, und allmählich begann ich die Nachwirkungen der durchwachten Nacht zu spüren. Eine Tasse von Marys Kaffee würde meine Lebensgeister sicherlich wieder wecken. Mary Winslove lächelte erfreut, als sie mich sah. Mary war eine Seele von Mensch und so etwas wie der gute Geist von Andara-House. Sie mußte um die fünfzig sein – wohlerzogen, wie ich bin, habe ich sie natürlich nie nach ihrem genauen Alter gefragt – und wog sicherlich gute zwei Zentner, wirkte dabei aber keineswegs plump, sondern strahlte eine behäbige Gutmütigkeit aus, die jedermann sofort für sie einnahm. Sie hätte glatt meine Mutter sein können, und tatsächlich hatte sie sich früher so um mich gekümmert, als wäre sie es. Selbst jetzt, wo sie mich auf Anweisung meines Großvater und gegen meinen ausdrücklichen Willen nicht mehr Robert, sondern Master oder Sir nannte, behandelte sie mich immer noch ein bißchen wie ein Kind. Aber sie tat es auf eine Weise, die mir nichts ausmachte; ganz im Gegenteil.

»Guten Abend, Sir«, begrüßte sie mich und trat vom Herd zurück. »Sie sehen aus, als könnten Sie einen Kaffee vertragen.«

»Das kann ich wirklich«, bestätigte ich. Merlin maunzte herzzerreißend, und ich fügte mit einer Kopfbewegung auf ihn hinzu: »Und dieses halbverhungerte Tier braucht dringend ein Stück Fleisch.« Merlin miaute eine Zustimmung und strich schmeichelnd um Marys Beine.

Mary schmunzelte, schenkte mir einen Kaffee ein und kraulte den Kater zwischen den Ohren. Dann ging sie zum Kühlschrank.

Aber sie führte die Bewegung nicht zu Ende, denn in diesem Moment kam eines der Mädchen herein, und Marys Gesichtsausdruck verdüsterte sich schlagartig.

»Was gibt es denn, Ellen?« fragte sie grob.

»Ich ... ich bin fertig, Mrs. Winslove«, antwortete das Mädchen. Unsicher blickte es in meine Richtung. »Haben Sie sonst noch Befehle?«

Mary schien noch eine ganze Menge Befehle zu haben, erinnerte sich dann aber anscheinend daran, daß sie nicht allein war, und schüttelte den Kopf. »Nein. Sie können gehen. Und morgen sind Sie pünktlich, ist das klar? Wenn Sie sich auch nur um eine Minute verspäten, brauchen Sie gar nicht erst hereinzukommen.«

Das Mädchen nickte, zog ängstlich den Kopf zwischen die Schultern und floh regelrecht aus der Küche.

Erstaunt blickte ich Mary an. »Was ist denn los?« fragte ich. »Wieso sind Sie so grob mit dem armen Ding?«

Mary runzelte ärgerlich die Stirn. »Sie hat es verdient«, sagte sie in einem Ton, der gleichzeitig Das geht Sie eigentlich gar nichts an bedeutete – womit sie nicht ganz unrecht hatte. Personalangelegenheiten waren Marys Sache. Trotzdem fuhr sie nach einem Augenblick fort: »Sie ist neu, Sir. Seit zwei Wochen arbeitet sie bei uns, und in diesen zwei Wochen ist sie sage und schreibe fünfmal zu spät gekommen, einmal um fast eine Stunde. Und heute morgen hätte ich sie schon fast entlassen.«

»Warum?« erkundigte ich mich.

»Sie hat eine Tasse zerbrochen«, antwortet Mary. »Ja, ich weiß, das ist kein Grund, und ich hätte auch kein weiteres Wort darüber verloren, wenn das freche Ding mich nicht auch noch belogen hätte.«

»Eine . . . Tasse?« fragte ich. Ich spürte, wie mir die Röte ins Gesicht stieg. »Wie denn?« »Sie war die letzte, gestern abend«, antwortete Mary. »Sie wissen ja, ich hatte gestern meinen freien Abend, und ich hatte Ihren Groß-vater gebeten, mich eher gehen zu lassen. Meine Schwester ist noch immer leidend, müssen Sie wissen, und zweimal die Woche übernachte ich bei ihr, und davor gehe ich immer einholen und –«

»Ich weiß«, unterbrach ich sie. Marys Familiengeschichten sind berüchtigt. Wenn sie einmal anfängt, davon zu erzählen, dann dauert das meistens eine Stunde. »Und?« Mary sah ein bißchen beleidigt aus, zuckte aber nur die Achseln und fuhr fort: »Sie war die letzte im Haus. Ich hatte ihr aufgetragen, das Geschirr aus der Spülma-schine zu nehmen und in die Schränke zu räumen, ehe sie geht. Und dabei hat sie wohl eine Tasse zerbro-chen.«

»Und das ist so schlimm?« fragte ich.

Mary schüttelte wütend den Kopf. »Natürlich nicht. Aber statt aufzuräumen, hat sie die Scherben einfach unter der Anrichte versteckt, und als ich sie zur Rede stellte, da hat sie alles abgeleugnet. Richtig aufsässig ge-worden ist sie. So etwas muß ich mir nicht bieten las-sen.«

»Nein«, antwortete ich kleinlaut. »Das müssen Sie
nicht, Mary. Aber das Mädchen hatte recht.«
»Wie?« machte Mary.
»Sie hat die Tasse nicht zerbrochen«, gestand ich mit
gespielter Zerknirschung. »Das war ich, gestern nacht.«
»Oh«, sagte Mary und sah plötzlich gar nicht mehr verärgert, sondern vielmehr peinlich berührt aus. Ich begriff, daß ich unabsichtlich nicht nur das Mädchen, sondern auch sie in eine sehr unangenehme Lage gebracht
hatte.
»Ja, wenn das so ist«, murmelte sie zögernd, »da habe
ich wohl...« Dann drehte sie sich mit einem Ruck um
und sah wieder auf Merlin herab. »Aber jetzt zu dir«,
fuhr sie fort, abrupt das Thema wechselnd. »Du siehst ja
auch wirklich aus, als stündest du kurz vor dem Hun-
gertod. Sie müssen ihn besser pflegen, Master Robert.
Schauen Sie sich nur an, wie abgemagert der arme Kerl
ist.«
Merlin war ganz genau derselben Meinung, wie er mit
einem vorwurfsvollen Blick in meine Richtung und
einem neuerlichen kläglichen Miauen bestätigte. Dann
sprang er mit einem Satz auf Marys Schulter und versuchte von dort aus, den Kühlschrank zu entern. Mary
packte ihn am Genick, setzte ihn unsanft zu Boden und
drohte ihm spielerisch mit dem Finger. Merlin mißach-
tete die Drohung, starrte gierig in den offenstehenden
Kühlschrank und begann zu sabbern.
Ich sah den beiden lächelnd zu, während ich vorsichtig
an meinem Kaffee nippte. Merlin versuchte jetzt, an
Marys Beinen hinaufzuklettern, was ihr eine Laufma-
sche und ihm einen derben Klaps hinter die Ohren ein-
brachte. »Böser Kater!« schimpfte sie. »Dabei habe ich
so etwas Gutes für dich.«

53

Sie förderte eine gewaltige Schlachtplatte zutage. »Putenbraten, hier«, sagte sie. Merlin kreischte schrill, sprang mit allen vier Pfoten gleichzeitig in die Luft, schnappte sich im Sprung eine Scheibe des Fleisches, das sowieso für ihn bestimmt war, und verschwand mit seiner Beute unter dem Tisch. Wie gesagt – Merlin war wirklich ein sehr liebes Tier. Allerdings auch ziemlich blöd, selbst für einen Kater.

Ich lachte leise, während Mary dem Kater kopfschüttelnd nachsah und die Schlachtplatte schließlich zurückstellte.

»Kater müßte man sein«, sagte ich.

»So?« Mary runzelte die Stirn, auf eine Art, die mich wissen ließ, daß ich gerade etwas ziemlich Falsches gesagt hatte. »Wegen des Putenfleisches?« fragte sie.

Ich nickte.

»Nun, das war nur der Rest des heutigen Mittagessens«, sagte Mary. »Sie und Ihr Großvater haben ja fast nichts angerührt.«

»Wir . . . hatten viel zu bereden«, antwortete ich ausweichend. »Nichts Ernstes, Mary. Aber auch nichts, was uns Appetit gemacht hätte.«

Mary schüttelte erneut den Kopf. »Ich beginne mir Sorgen um ihn zu machen, wissen Sie das?« sagte sie leise. »Was ist nur mit ihm los? Er sah heute gar nicht gut aus, und er war nervös wie seit Jahren nicht mehr. Wieso schließt er sich neuerdings immer in seinem Arbeitszimmer ein? Das hat er doch früher nicht getan.«

»Das hat nichts zu bedeuten, Mary«, antwortete ich hastig. »Er –« Ich brach mitten im Satz ab und starrte sie an. »Immer?« sagte ich. »Wie meinen Sie das?«

»Nun . . .« Mary sah jetzt ebenfalls verwirrt aus. »Heute

morgen, dann wieder heute nachmittag, und jetzt schon
wieder —«
Ich sprang auf. »Jetzt? Sind Sie sicher, Mary?«
Sie nickte verstört. »Aber ja. Er ist hineingegangen,
kurz nachdem Sie sich in Ihr Zimmer zurückgezogen
haben, und ich habe selbst gehört, wie er den Riegel
vorgelegt hat. Ich habe noch gefragt, ob er etwas
bräuchte, aber —«
Den Rest des Satzes hörte ich schon gar nicht mehr. Ich
fuhr herum, rannte aus der Küche und stürmte die
Treppe hinauf, so schnell ich konnte. Schweratmend erreichte ich das Arbeitszimmer, rüttelte einen Moment
lang wider besseres Wissen und natürlich vergeblich an
der Tür und begann schließlich mit den Fäusten dagegen zu hämmern.
»Großvater!« schrie ich. »Mach auf! Großvater!«
Niemand antwortete. Ich fuhr fort, wie von Sinnen gegen die Tür zu hämmern, aber das einzige Ergebnis war,
daß Mary unten in die Halle gelaufen kam und herauf-
rief, was denn geschehen sei.
Ich ignorierte sie, trat einen Schritt von der Tür zurück
– und warf mich mit aller Macht vor. Ein stechender
Schmerz schoß durch meine Schulter, aber das Schloß
knirschte hörbar. Ich versuchte es noch einmal, prallte
wieder zurück, nahm zum drittenmal Anlauf, und diesmal gab das Schloß knirschend nach, und ich stolperte
durch die aufgebrochene Tür in den Raum.
Was ich sah, übertraf meine schlimmsten Erwartungen.
Mein Großvater war nicht da. Die Lampe brannte nicht,
trotzdem war es nicht dunkel – ein unheimlicher, flakkernder grüner Schein hing im Zimmer, und an meine
Ohren drang ein hohles Rauschen und Brausen, wie
von Wind, der durch einen engen Kamin heult. Und als

ich mich herumdrehte, konnte ich einen Entsetzens-
schrei nicht mehr unterdrücken.

Die Uhr hatte sich wieder geöffnet, dahinter waberte
und wogte dasselbe schauerliche grüne Licht wie in der
vergangenen Nacht. Und in dem grünen Leuchten erkannte ich deutlich die Wände eines mannshohen, zuk-
kenden Schachtes aus ... aus irgend etwas Lebendigem.
Ein bestialischer Gestank wehte mir entgegen, und am
Ende dieses lebenden Tunnels, der sich ununterbrochen wand, schien etwas Dunkles, Formloses zu lauern,
das mich aus schwarzen, bösen Augen anstarrte.

Und dann tat ich etwas, das ich in diesem Moment wohl
selbst nicht so richtig begriff (und das war auch gut so,
denn sonst hätte ich es wahrscheinlich nicht getan) –
ich sprang mit einem Schrei vor und stürzte direkt in
die offenstehende Tür der Monsteruhr hinein!

Ich weiß nicht, was ich erwartet hatte: Hitze, Schmerzen, namenlose Schrecken, tentakelschwingende Ungeheuer – aber nichts von alledem geschah. Ich stolperte
einfach wieder aus der Uhr heraus, so blitzschnell, als
hätte mich eine unsichtbare Hand gepackt und um
meine eigene Achse gedreht, und starrte verblüfft in
das Arbeitszimmer, dem ich soeben noch den Rücken
zugewandt hatte.

Ungläubig drehte ich mich herum: Tatsächlich, hinter
mir stand die Uhr, und aus ihrer offenstehenden Tür lo-
derte noch immer das unheimliche, kalte grüne Feuer.
Ich kam mir vor wie ein Mann, der zum ersten Mal in
seinem Leben durch eine Drehtür gegangen ist und nun
nicht versteht, wieso er wieder am Ausgangspunkt seines Weges angekommen ist.

Verwirrt streckte ich die Hand nach der Uhr aus,
machte einen halben Schritt, um es noch einmal zu ver-

suchen, und tat es dann doch nicht.

Irgend etwas stimmte nicht. Aber es vergingen endlose Sekunden, ehe ich bemerkte, was es war.

Das Zimmer hatte sich verändert. Gewiß, das Mobilar war das gleiche geblieben, der Schreibtisch war unaufgeräumt und unordentlich wie immer, und doch...

Es waren Winzigkeiten, die mir erst nach und nach auffielen: Der kristallene Lüster unter der Decke war ein wenig kleiner, als er sein sollte. Die Tapeten hatten ein anderes Muster, und die Farbe der Vorhänge stimmte nicht ganz. Über dem Kamin hing ein anderes Bild. Es glich dem, das ich kannte, aber es war es eben nicht. In den Regalen standen andere Bücher, es gab einen Stuhl mehr, dafür fehlte die Stehlampe mit den Troddeln, die ich noch nie hatte leiden können... Es war, als hätte sich jemand bemüht, das Arbeitszimmer mit aller Akribie nachzubauen, aber einfach nicht die richtigen Requisiten bekommen hat.

Und da war noch etwas. Ein heftiger Sturm heulte um das Haus, – und eben noch war eine wunderschöne, klare Nacht gewesen.

»Großvater?« rief ich.

Keine Antwort. Nur der Regen trommelte monoton gegen die Scheiben.

Mein Herz begann schneller zu klopfen. Mary fiel mir ein, die durch mein Geschrei aufmerksam geworden war – wo war sie? Ich stand seit zwei oder drei Minuten hier, mehr als genug Zeit für sie, mir nach zu kommen. Ich beschloß, das Naheliegendste zu tun und zur Tür zu gehen und nachzusehen, trat aber dann aus einem Impuls heraus an den Schreibtisch heran und zog eine Schublade auf.

Sie war vollgestopft mit allem möglichen Krimskrams –

57

der Besitzer dieses Schreibtisches schien kein sehr ord-
nungsliebender Mensch zu sein, was ihn mir auf An-
hieb sympathisch machte – aber nichts davon kam mir
in irgendeiner Weise bekannt vor. Und auch die Papiere, die auf dem Schreibtisch lagen, waren mir fremd.
Vorsichtig nahm ich eines der Blätter und versuchte die
handgeschriebenen Zeilen darauf im blassen grünen
Licht der Uhr zu entziffern.
Lieber Freund, las ich. *Ich weiß nicht, wie ich beginnen
soll. Seit Jahren habe ich mich nach diesem Tag ge-
sehnt, doch nun, da er endlich Wirklichkeit geworden
ist, ist mir Priscilla* – Ich las nicht weiter, denn ich
spürte, daß ich hier etwas sehr Persönliches in Händen
hielt, etwas, das nicht für meine Augen bestimmt war.
Aber eines war mir jetzt endgültig klar – dies war nicht
das Arbeitszimmer meines Großvaters.
Ich sah mich noch einmal verwirrt – und mit wachsen-
der Angst – im Zimmer um und ging schließlich zur
Tür. Draußen auf dem Flur blieb ich stehen. Von Mary
war noch immer keine Spur zu sehen, aber darauf verschwendete ich nur einen flüchtigen Gedanken. Ich war
viel zu sehr damit beschäftigt, um mich zu schauen.
Nein, das war nicht mein Haus. Gewiß, auf den ersten
Blick schien alles wie gewohnt – und doch: Es war wie
das Arbeitszimmer hinter mir. Gewisse Details waren
anders. Statt der elektrischen Leuchter hingen Gaslam-
pen an den Wänden, auf dem Boden lagen andere Tep-
piche. Was um Gottes Willen war hier geschehen?
Herumstehen und Staunen jedenfalls würde diese
Frage kaum beantworten, das war mir klar. Ich rief
noch einmal nach Großvater und wandte mich nach
links, zur Treppe, als ich keine Antwort bekam.
Als ich den halben Weg zum Erdgeschoß hinab hinter

mich gebracht hatte, hörte ich Stimmen. Die Stimmen eines Mannes und einer Frau, die miteinander sprachen, nein, stritten. Sie klangen sehr erregt, und dann glaubte ich gar Geräusche wie von einem Kampf zu hören. Einen Moment lang blieb ich stehen und lauschte, dann ging ich weiter, erreichte den Fuß der Treppe und wandte mich zum Salon, aus dem die Stimmen kamen. Aber eine innere Stimme riet mir, lieber vorsichtig zu sein. Wieder sah ich mich um, stellte zu meiner Erleichterung fest, daß ich noch immer allein war, und schlich auf Zehenspitzen weiter. Die Tür zum Salon stand offen, so daß ich vorsichtig um die Ecke lugen konnte, ohne selbst von drinnen sofort gesehen zu werden. Ein bißchen albern kam ich mir dabei doch vor: Schließlich war dies hier mein Haus, und ich benahm mich wie ein Einbrecher.

Aber ich hatte auch Grund dazu, und schon der erste Blick, den ich in den Salon warf, überzeugte mich endgültig davon.

In dem Zimmer hatte ein Kampf stattgefunden. Ein paar Möbelstücke waren umgeworfen worden, und auf dem Teppich vor dem Kamin krümmte sich ein Mann unter Schmerzen. Über ihm, mit gespreizten Beinen und erhobenen Händen, wie bereit zum Zuschlagen, stand eine sehr schlanke, sehr hübsche junge Frau, die nur ein hauchdünnes Negligé trug. Sie war waffenlos, und im ersten Moment erschien es mir erstaunlich, daß ein so zartes Mädchen einen kräftigen Burschen wie diesen Schwarzhaarigen zu Boden geschlagen haben sollte, aber die Szene ließ an Eindeutigkeit nichts zu wünschen übrig. Und ganz unmöglich war es ja nicht. Schließlich beherrschte auch ich einige vornehmlich asiatische und größtenteils ziemlich gemeine Tricks, die

59

mich nötigenfalls in die Lage versetzten, auch mit einem überlegenen Gegner fertig zu werden.

Da bewegte sich der Mann auf dem Teppich stöhnend, und als er den Kopf hob und ich sein Gesicht sehen konnte, vergaß ich schlagartig alles andere.

Der Fremde war nicht sehr viel älter als ich – vielleicht dreißig, allerhöchstens –, mußte ungefähr meine Statur und meine Größe haben, und in seinem Haar prangte dieselbe schlohweiße Strähne wie in meinem! Und als wäre das allein nicht genug: Er hatte mein Gesicht!

Es war, als hätte mir jemand unversehens einen Eimer eiskaltes Wasser in den Kragen gekippt. Sekundenlang stand ich einfach da und starrte den Fremden an, unfähig, zu denken, oder mich zu rühren. Der Mann sagte etwas zu dem Mädchen, und es antwortete, aber ich hörte die Worte nicht einmal. Selbst als die junge Frau mit einem schrillen Lachen ausholte und dem Mann mit meinem Gesicht mit aller Kraft in den Leib trat, reagierte ich nicht.

Eine Hand berührte mich an der Schulter.

Ich wirbelte blitzartig herum und riß die Fäuste hoch – und hielt im letzten Moment inne, als ich erkannte, wer mich berührt hatte.

»Großvater!« stöhnte ich. »Du?! Wie –«

»Nicht jetzt!« unterbrach er mich. Seine Stimme klang gehetzt, und in seinem Blick war eindeutig Panik. Und plötzlich fiel mir auf, daß er verletzt war. Er blutete aus einer häßlichen Platzwunde an der Schläfe, und sein linker Arm hing in unnatürlichem Winkel herab, als wäre er gebrochen.

»Um Gottes willen!« rief ich. »Was ist passiert?«

»Nicht jetzt«, sagte er noch einmal. »Wir müssen weg hier, Robert. Schnell. Ich habe ihn abgeschüttelt, aber er kann jeden Moment wieder auftauchen. Er wird uns beide umbringen!«

Ich verstand kein Wort von dem, was er sagte, aber ich begriff, daß er es bitter ernst meinte. Hastig ergriff ich seinen unverletzten Arm, um ihn zu stützen, und lief los.

»Wohin?«

»Zurück!« keuchte er. »Zur Uhr. Vielleicht... schaffen wir es. Vielleicht können wir das Tor schließen, ehe er unsere Spur aufnimmt.«

Ich wollte ihn fragen, was er damit meinte, aber Großvater riß plötzlich seinen Arm los und stürmte so schnell die Treppe hinauf, daß ich mit einemmal Mühe hatte, mit ihm mitzuhalten. Im Laufen sah ich mich um – und plötzlich begriff ich, warum er so verzweifelt losgerannt war.

Wir wurden verfolgt. Noch war der Verfolger selbst nicht zu sehen, doch er mußte gigantisch sein, denn die Treppe erzitterte unter seinen Schritten, und an der Wand zeichnete sich ein unförmiger, riesenhafter Schatten ab, der nichts Menschliches an sich hatte.

Der Anblick gab mir neue Kraft. Ich hetzte hinter meinem Großvater her, warf mich dicht hinter ihm durch die Tür und vergeudete einige wertvolle Sekunden damit, den Riegel vorzulegen. Währenddessen humpelte mein Großvater bereits auf die Uhr und ihr glühendes Inneres zu.

»Schnell!« schrie er. »Um Gottes Willen, beeil dich, Robort!«

»Was war das?« brüllte ich zurück. »Großvater – was ist das für ein Ding?«

»Der Wächter«, antwortete Großvater. Er hatte die Uhr

erreicht, zögerte aber, sie zu betreten. Ich hörte, wie die Dielenbretter draußen unter dem Gewicht des unsichtbaren Monstrums ächzten. »Großer Gott, Robert, verzeih mir. Ich ... ich dachte, ich könnte es für dich tun, aber ich habe alles verdorben!«

»Für mich tun? Was?«

Großvater antwortete nicht, aber ich hätte ihn auch nicht verstanden, wenn er es getan hätte, denn in diesem Augenblick krachte etwas mit der Gewalt einer heranrasenden Diesellokomotive gegen die Tür und zermalmte sie. Für den Bruchteil einer Sekunde sah ich inmitten der wirbelnden Trümmer einen monströsen, mißgestalteten Umriß, dann fühlte ich mich von meinem Großvater gepackt und mit aller Kraft in die Uhr geschleudert.

Es war genau wie vorhin – ich stürzte aus der Uhr heraus und kugelte hilflos über den Teppich, ohne etwas dazu getan zu haben. Blitzartig rollte ich mich ab, sprang auf die Füße und wirbelte herum.

Und was nun geschah, sollte ich in meinem ganzen Leben nicht wieder vergessen, auch wenn es alles in allem nicht länger als eine Sekunde dauerte. Inmitten des kalten grünen Feuers erschien mein Großvater, taumelnd vor Schwäche, blutend und mit angstverzerrtem Gesicht. Keuchend wankte er aus der Uhr hervor und griff noch in derselben Bewegung nach der Tür, um sie zuzuwerfen. Aber er kam nicht mehr dazu.

Hinter ihm tauchte eine zweite Gestalt auf. Für einen zeitlosen Moment sah ich das Monster, das uns verfolgt hatte, und dieser Anblick lähmte mich vor Entsetzen. Es glich nichts, was ich je zuvor gesehen hatte, nichts, was ein menschlicher Geist je ersinnen könnte, und sei er noch so krank. Ein riesiges, pupillenloses Auge

starrte mich voll abgrundtiefer Bosheit an, und ich
spürte einen Haß, der so alt wie dieses Universum war,
einen unauslöschlichen, mörderischen Haß auf alles,
was dachte und fühlte.

Dann zuckte ein dünner, grellroter Blitz aus der Mitte
dieses Auges, traf meinen Großvater an der Brust und
tötete ihn auf der Stelle.

Es dauerte zwei Tage, bis ich aus dem Krankenhaus entlassen wurde; besser gesagt, nach Hause ging, gegen
den ausdrücklichen Willen der Ärzte. Ich erinnerte
mich nur lückenhaft, was weiter geschehen war, an jenem Abend – mein Großvater war sterbend in meinen
Armen zusammengebrochen, doch zuvor hatte er noch
mit allerletzter Kraft die Uhrtür zugeschmettert, und etwas Unsichtbares, Gigantisches war von innen dagegen-
geprallt, das hatte ich ganz genau gehört. Für einen Moment war die Uhr wie unter einem Hammerschlag er-
bebt, und dann war plötzlich alles voller Rauch und
Flammen und Hitze gewesen, und das nächste, woran
ich mich klar erinnerte, war die durchsichtige Sauer-
stoffmaske, die mir ein Sanitäter im Krankenwagen
während der Fahrt in die Klinik auf Mund und Nase
preßte.

Am nächsten Tag hatte der obligatorische Besuch der
Polizei stattgefunden, die mit perfekt geschauspielerter
Anteilnahme, aber großer Beharrlichkeit die Fragen
stellte, die sie eben stellen mußte. Nicht, daß ich sie
hätte beantworten können. Ich hatte keine Ahnung,
wodurch der Brand im Arbeitszimmer ausgebrochen
war; ich erinnerte mich nicht einmal, daß es überhaupt
gebrannt hatte. Vermutlich war das Feuer entstanden,
nachdem ich das Bewußtsein verloren hatte. Und auch
das war etwas, was ich mir einfach nicht erklären

konnte – es hatte keinen Grund für diese Ohnmacht gegeben. Es war, als hätte etwas in meinem Kopf Schnapp
gemacht und mein Bewußtsein einfach abgeschaltet.
Aber natürlich sagte ich der Polizei davon nichts.
Ebensowenig wie von dem, was ich im Inneren der Uhr
erlebt hatte, oder vom Inhalt des Safes oder meinem
und Großvaters Gespräch. Sie glaubten mir nicht voll-
ständig, das spürte ich genau, aber die offizielle Lesart
war, daß es in dem Zimmer einen Brand aus ungeklär-
ter Ursache gegeben hatte, und schließlich war da auch
Mary, die jeden heiligen Eid schwor, daß ich unter Ein-
satz meines Lebens die Tür aufgebrochen und versucht
hatte, meinen Großvater zu retten.
Es war lächerlich – in den Augen der anderen war ich
fast so etwas wie ein Held. Dabei kam ich mir selbst
eher wie ein Mörder vor. Nun, vielleicht nicht gerade
das – aber ich fühlte mich verantwortlich für den Tod
meines Großvaters. Irgendwie spürte ich, daß ich es
hätte verhindern können.
Es regnete in Strömen, als ich am späten Vormittag aus
dem Taxi stieg, das mich von St. Patrick's Hospital nach
Hause gebracht hatte. Trotzdem ging ich nicht sofort
ins Haus, sondern blieb vor der Eingangstreppe stehen
und sah nach oben. Die zweistöckige Villa war mir noch
nie so groß und düster vorgekommen wie in diesem Augenblick. Das Leben hier würde einsam werden, in Zukunft. Ein dumpfer Schmerz griff nach meinem Herzen.
Es war wie mit so vielen Dingen – erst jetzt, nachdem
ich Großvater unwiderruflich verloren hatte, spürte ich,
wieviel er mir bedeutet hatte. Wenn er mir nur gesagt
hätte, was er vorhatte, dieser dumme, liebe alte Mann!
Ich ging weiter und suchte gleichzeitig in der Jackentasche nach dem Schlüssel, aber die Tür wurde geöffnet,

ehe ich die Treppe ganz überwunden hatte. Es war
Mary. Sie stand da, einen halbgeöffneten Regenschirm
in der Rechten und unendliche Trauer in den Augen,
und ich begriff plötzlich, daß sie mich die ganze Zeit
über durch den Spion beobachtet hatte, während ich im
Regen stand. Aber sie schien wohl gespürt zu haben,
was in mir vorging, und hatte meinen Schmerz respek-
tiert, die gute Seele.
Sie sagte auch jetzt nichts, sondern schloß schweigend
die Tür hinter mir. Aber dann ließ sie den Schirm plötzlich fallen, und schloß mich so fest in die Arme, daß ich
kaum noch atmen konnte.
»Oh Robert«, sagte sie schluchzend. »Es tut mir so leid.«
Ich wehrte mich nicht; im Gegenteil. Nach zwei Tagen
in der sterilen Umgebung des Krankenhauses tat es unendlich gut, einen Menschen zu treffen, der es ehrlich
meinte. Erst nach einer geraumen Weile löste ich mich
mit sanfter Gewalt aus ihrer Umarmung und wollte wei-
tergehen, aber Mary hielt mich noch einmal am Arm
zurück; eine Vertraulichkeit, die sie sich normalerweise
niemals gestattet hätte.
»Sie haben Besuch, Sir«, sagte sie, während sie sich mit
der Linken eine Träne aus dem Gesicht wischte.
»Vergessen Sie den Sir, Mary«, sagte ich. »Ab heute er-
halten Sie Ihre Anweisungen von mir. Und mein erster
Befehl lautet, daß Sie mich wieder Robert nennen, wie
früher.« Ich versuchte zu lächeln. »Besuch, sagten Sie?
Wer ist es denn?«
»Jawohl, Sir ... Robert«, antwortete Mary schniefend.
»Ein ... ein Gentleman von der Polizei, glaube ich.«
»Polizei?«
Mary nickte. »Er wartet im Salon auf Sie. Schon eine
ganze Weile.«

65

Ich bedankte mich mit einem knappen Nicken, schlüpfte aus dem naßgeregneten Mantel und ging in den Salon hinüber.

Es war nicht ein Gentleman, wie Mary gesagt hatte, es waren zwei. Und zumindest der, der bei meinem Eintreten aufstand und mir entgegenkam, sah eigentlich nicht sehr gentlemanlike aus. Er mußte über sechs Fuß groß sein, hatte schneeweißes, relativ langes schütteres Haar und Hände mit den Ausmaßen kleiner Schaufeln. Sein Gesicht war breit und kantig und hatte jenen leicht brutalen Zug, den man oft bei sehr großen Menschen antrifft, ohne daß er irgend etwas über ihren wahren Charakter verrät. Er trug einen dunkelgrauen Tweedanzug, brachte aber das Kunststück fertig, selbst darin eher wie ein Clochard auszusehen.

»Mister Robert McFaflathe-Throllinghwort-Simpson?« fragte er.

Ich nickte, ignorierte seine ausgestreckte Hand und musterte kurz seinen Begleiter: ein Scotland Yard-Mann, wie er im Buche stand. Er hatte nicht einmal den obligatorischen grauen Trenchcoat weggelassen.

»Mein Name ist Card«, fuhr der andere fort, nachdem ich mich gesetzt und ihm mit einer knappen Geste bedeutet hatte, es ebenfalls zu tun. »Inspektor Jeremy Card, New Scotland Yard, Special Branch.« Er betonte das auf eine Art, als erwartete er, daß mir das irgend etwas sagte, aber ich mußte ihn enttäuschen. Meine bisherigen Erfahrungen mit der Polizei beschränkten sich auf Detektivfilme und gelegentliche Strafmandate.

»Es tut mir leid, daß wir Sie belästigen müssen, Sir«, fuhr Card nach einer Weile deutlich verlegen fort, als ich nicht reagierte. »Aber es gibt gewisse Dinge, die getan werden müssen – Sie verstehen?«

»Nein«, antwortete ich. »Aber Sie werden es mir sicher gleich erklären.«

Card atmete hörbar ein und schluckte eine unfreundliche Antwort hinunter. Ich beschloß, ihn nicht zu mögen. Card gehörte eindeutig zu dem Menschenschlag, der es einem sehr leicht macht, ihn nicht leiden zu können.

»Sicher«, antwortete er, tauschte einen bezeichnenden Blick mit seinem Kollegen und fuhr mit fast teilnahmsloser Stimme fort: »Es ist eigentlich auch nur eine Kleinigkeit, Sie verstehen? Eine Lappalie, im Grunde gar nicht der Mühe wert, extra hierher zu kommen und Sie an einem solchen Tag zu belästigen.«

»Warum tun Sie es dann?« fragte ich ruhig. Plötzlich empfand ich eine fast diabolische Freude daran, ihn zu ärgern. Card kam mir im Grunde gerade recht – ich brauchte einfach jemanden, auf dem ich herumtrampeln konnte.

»Nun, Mister McFaflathe-Throllinghwort-Simpson«, antwortete er umständlich, »ich will es kurz machen. Scotland Yard hat einen Hinweis bekommen, daß es bei dem Tod Ihres Großvaters gewisse ... sagen wir: rätselhafte Umstände gegeben hat. Ich glaube selbst nicht daran, aber es ist nun einmal unsere Pflicht, jedem Hinweis nachzugehen, Sie verstehen?«

»Rätselhafte Umstände?«

Card nickte. »Schauen Sie, Mister McFaflathe-Throllinghwort-Simpson«, sagte er, »die Feuerwehr hat das Zimmer genau durchsucht, aber bis heute wurde die Brandursache nicht herausgefunden.«

»Ist das mein Problem?« fragte ich kalt.

»Natürlich nicht, Mister McFaflathe-Throllinghwort-Simpson«, beeilte sich Card zu versichern. Ich verbiß mir insgeheim ein schadenfrohes Grinsen, als er sich beim Aussprechen meines vollen Namens beinahe verhaspelte. Ich hätte ihm anbieten können, mich einfach Simpson zu nennen, wie ich es normalerweise tat – schon um Zeit zu sparen – aber wie gesagt: ich mochte Card nicht. Sollte er sich doch einen Knoten in die Zunge machen. »Zimmerbrände kommen vor, und gar nicht einmal so selten. Aber immerhin hat es einen Toten gegeben. Und da ist noch etwas.«

»So?«

»Sie haben ... gesprochen, Mister McFaflathe-Throllinghwort-Simpson«, sagte Card leise. »Im Schlaf, in der ersten Nacht im St. Patrick's. Eine der Nachtschwestern berichtete uns, daß Sie mehrmals das Wort Mörder gerufen haben.«

Es fiel mir schwer, mich zu beherrschen, und ich weiß nicht, ob es mir ganz gelang, denn nachdem Card eine ganze Weile vergeblich auf eine Antwort gewartet hatte, änderte er abrupt seine Taktik.

»Gibt es da irgend etwas, was Sie uns verschweigen, Mister McFaflathe-Throllinghwort-Simpson?« fragte er.

»Verschweigen?« Ich schüttelte möglichst überzeugend den Kopf. »Nein, Mister Card. Sie haben den Toten doch untersucht, oder nicht?«

»Natürlich«, antwortete Card. »Interessiert Sie das Ergebnis, Mister McFaflathe-Throllinghwort-Simpson?«

»Ich fürchte, Sie werden es mir erzählen, selbst wenn ich nein sage«, antwortete ich so unfreundlich, wie ich überhaupt nur konnte. Nicht, daß Card sich davon beeindruckt zeigte. Diesen Ton kannte er wahrscheinlich nur zu gut.

»Ihr Großvater ist weder durch die Flammen umgekommen noch erstickt, Mister McFaflathe-Throllinghwort-Simpson«, sagte er betont mit Nachdruck. »Das sind die häufigsten Todesursachen bei Bränden, müssen Sie wissen. Er starb an Herzstillstand.« »Mein Großvater war ein alter Mann«, antwortete ich.

»Das ist uns bekannt«, erwiderte Card. »Aber seine Leiche wies... sonderbare Spuren auf. Er hatte eine Verletzung am Kopf, und sein linker Arm war gebrochen. Und da war eine kleine Brandwunde, direkt über seinem Herzen.«

»Das Zimmer war von innen verschlossen«, erinnerte ich. »Er wird versucht haben zu fliehen und hat sich dabei verletzt.«

Card schwieg eine Weile. »Das wäre eine Erklärung«, murmelte er dann.

»Wissen Sie eine andere?« Ich beugte mich vor und starrte ihn herausfordernd an. »Was soll dieses Verhör, Inspektor? Wenn Sie glauben, daß es beim Tod meines Großvaters irgendwie nicht mit rechten Dingen zugegangen ist, dann sagen Sie es – ich bin nämlich der erste, den das interessiert.«

»Nicht doch, Mister McFaflathe-Throllinghwort-Simpson«, sagte er hastig. »Es ist nur der Ordnung halber. Wir müooon nun einmal alle offenen Fragen beantworten, ehe wir den Fall zu den Akten legen.«

»Fall?« wiederholte ich betont. »Oh, jetzt ist es schon ein Fall. Ich dachte, es wäre ein schreckliches Unglück gewesen.« Ich stand auf. »Sagen Sie, Inspektor: Verdächtigen Sie irgend jemanden?«

»Natürlich nicht. Aber –«

»Dann verstehe ich nicht, warum Sie mich in meiner Trauer stören«, unterbrach ich ihn kalt. Ich deutete auf die Tür. »Wenn Sie noch irgendwelche Fragen haben, können Sie mich jederzeit anrufen. Und jetzt gehen Sie bitte.«

Cards Blick wurde hart wie Eis, und ich begriff, daß ich soeben einen Fehler begangen hatte, den ich vielleicht noch bitter bereuen würde. Aus irgendeinem Grund mißtraute mir Card – und ich hatte nichts anderes getan, als noch Öl in die Flammen zu gießen.

Aber er erwiderte nichts mehr, sondern stand auf, verabschiedete sich mit einem Nicken und ging ohne auch nur ein Wort mehr zu verlieren.

Sein Kollege jedoch blieb unter der Tür stehen, drehte sich zu mir herum und zog etwas Kleines, Weißes aus der Tasche. »Ich verstehe Sie«, sagte er, überraschend sanft und so leise, daß ich ziemlich sicher war, daß er befürchtete, von Card gehört und später für seine Worte zur Rechenschaft gezogen zu werden. »Der Moment war nicht besonders klug gewählt, fürchte ich. Aber wenn Ihnen noch etwas einfallen sollte oder Sie einfach mit mir reden möchten – hier ist meine Karte. Good bye, Sir.«

Verblüfft nahm ich die Visitenkarte entgegen und sah ihm nach, bis er ebenfalls verschwunden war. Ich hörte ihn draußen mit Card reden, und Cards Stimme klang alles andere als freundlich, wenngleich ich die Worte nicht verstehen konnte. Augenblicke später fiel die Haustür ins Schloß.

Als Mary eine Minute später zu mir hereinkam, stand ich noch immer da und starrte die Visitenkarte an. Und plötzlich fiel es mir wie Schuppen von den Augen. Card hatte ja insofern recht, als der Tod meines Großvaters noch längst nicht geklärt war, doch die Wahrheit mußte ganz woanders liegen, als er ahnte – und es gab jeman-

den, der mir vielleicht weiterzuhelfen vermochte: Diese
Visitenkarte stieß mich gewissermaßen mit der Nase
darauf.

Ich fuhr herum, ignorierte Marys verwunderten Gesichtsausdruck und stürmte, immer drei, vier Stufen auf
einmal nehmend, die beiden Treppen bis ins Dachge-
schoß hinauf.

Nicht einmal zehn Minuten später hatte ich es geschafft, mein vorher säuberlich aufgeräumtes Zimmer
in ein Chaos zu verwandeln. Es gab keinen Schrank,
den ich nicht durchwühlt hätte, keine Schublade, deren
Inhalt nicht auf dem Bett oder dem Fußboden verstreut
wäre – aber meinen Morgenmantel hatte ich nicht gefunden. Mary hatte zweimal gegen die Tür geklopft und
gefragt, ob sie mir irgendwie behilflich sein könne, aber
ich hatte sie gar nicht beachtet und wie besessen wei-
tergesucht. Ich wußte ganz genau, daß ich den Morgenmantel, in dessen Tasche sich die Visitenkarte befand,
die ich von H. P. bekommen hatte, in diesem Zimmer
ausgezogen hatte – und diese verdammte Visitenkarte
mußte ich finden!

Hier war sie jedenfalls nicht, wie ich schließlich widerstrebend einsah.

Es klopfte zum dritten Mal, und Marys Stimme drang
durch die Tür. »Master Robert, Sir – ist bei Ihnen wirklich alles in Ordnung? Brauchen Sie irgendwelche
Hilfe?«

Verärgert drehte ich mich herum und riß die Tür auf; so
heftig, daß Mary mir um ein Haar in die Arme gefallen
wäre. Offensichtlich hatte sie das Ohr gegen die Tür gepreßt und gelauscht.

»Wo ist der Mantel?« fragte ich grob. »Ich brauche diesen verdammten Mantel, Mary.«

71

»Mantel?« Mary runzelte die Stirn, blickte an mir vorbei
– und wurde um einige Nuancen blasser, als sie das To-
huwabohu sah, das ich im Zimmer angerichtet hatte.
»Welchen Mantel meinen Sie, Sir... Robert, meine
ich.«
»Den Hausmantel, den ich vorgestern getragen habe«,
antwortete ich unwillig.
»Den...« Mary brach ab, sagte: »Oh«, und blickte mich
eine Sekunde lang sehr sonderbar an. »Aber er war völlig verdreckt, Sir«, sagte sie. »Sie haben Kaffee darüber
geschüttet, glaube ich. Wahrscheinlich vorgestern
abend, als Sie die Tasse zerbrochen haben. Ich habe ihn
einem der Mädchen gegeben, damit sie ihn wäscht.«
»Sie haben *was?*« keuchte ich.
Plötzlich lächelte Mary. Und dann tat sie etwas sehr
Seltsames – sie legte mir die flache Hand auf die Brust,
schob mich mit sanfter Gewalt ins Zimmer zurück und
schloß pedantisch die Tür hinter sich.
»Natürlich habe ich ihn in die Wäsche gegeben«, wiederholte sie. »Aber keine Angst, ich habe das herausgenommen, was Sie suchen.«
»Sie haben es... herausgenommen?« wiederholte ich
verwirrt.
Mary lächelte ein Verschwörerlächeln. »Aber sicher«,
sagte sie. »Und machen Sie sich keine Sorgen, Robert.
Sie können sich auf meine Verschwiegenheit verlassen.«
Ich starrte sie völlig verständnislos an. Mary warf mir
noch einen triumphierenden Blick zu, dann griff sie unter die Schürze und förderte die Pistole zutage, die ja
auch in der Manteltasche gewesen war.
»Hier«, sagte sie. »Ich habe sie die ganze Zeit bei mir
getragen, sicherheitshalber, wissen Sie? Nach dem

Brand hat die Polizei ja hier überall herumgesucht, und vor allem dieser fürchterliche Mensch, der gerade unten war —«

»Card?«

»Ich glaube, ja, das war wohl sein Name«, fuhr Mary fort. »Überall hat er herumgeschnüffelt, und das ganze Personal hat er ausgefragt. Und da dachte ich mir, es wäre vielleicht besser, wenn er nichts davon erführe.«

Sie hielt mir die Waffe auffordernd hin, aber ich machte nicht einmal den Versuch, danach zu greifen.

»Sonst war nichts in der Tasche?« fragte ich.

Mary sah mich verständnislos an. »Was sollte sonst noch darin gewesen sein?« Ich seufzte. Hatte sich denn alles gegen mich verschworen? Aber ich sagte nichts mehr, sondern nahm ihr die Pistole endlich ab, steckte sie in die Jackentasche und ergriff dankbar ihre Hand.

»Das haben Sie gut gemacht, Mary«, sagte ich. »Und jetzt gehen Sie bitte hinunter in die Waschküche und holen den Mantel herauf, ja?«

»In die Waschküche?« Mary schüttelte den Kopf. »Was halten Sie von mir, Robert? Der Mantel ist doch längst wieder gewaschen und gebügelt.«

Ich starrte sie an. »Was?«

»Aber sicher«, nickte Mary. »Er hängt in ihrem Badezimmerschrank.«

Ich stürzte aus dem Zimmer und über den Gang ins Badezimmer, riß die Schranktür auf – und starrte mit offenem Mund den Morgenmantel an, der da säuberlich über seinem Bügel hing. Auf die Idee, hier nachzusehen, war ich nicht gekommen.

Meine Hände zitterten, als ich in die Tasche griff und darin herumzusuchen begann. Die linke Tasche war leer, aber dann, in der anderen Tasche, fand ich, wo-

73

nach ich gesucht hatte: H. P.s Visitenkarte.

Mit einem erleichterten Seufzer zog ich sie heraus, warf einen Blick darauf – und unterdrückte im letzten Moment einen enttäuschten Aufschrei.

Es war H. P.s Karte, ganz eindeutig. Oder war es einmal gewesen. Aber sie war gründlich mitgewaschen und gebügelt worden. Die zierliche Goldschrift, die sich darauf befunden hatte, war spurlos verschwunden!

»Oh nein!« stöhnte ich. »Nicht das auch noch.«

Mary, die mir gefolgt war, trat stirnrunzelnd hinter mich. »Was ist denn?« fragte sie.

»Hier!« Ich hielt ihr die Karte hin. »Das ist, Mary. Darauf hat einmal etwas sehr Wichtiges gestanden!«

»Und es ist mitgewaschen worden?« Marys Gesichtsausdruck verdüsterte sich. »Dieses dumme Mädchen. Wie oft habe ich ihm gesagt, es soll gründlich alle Taschen durchsuchen, ehe es ein Teil in die Waschmaschine gibt. Ich werde sie entlassen!«

»Davon wird die Schrift hier auch nicht mehr sichtbar!« antwortete ich niedergeschlagen. Mary sah mich fast bestürzt an, nahm mir die Karte aus der Hand und trat damit ans Feuer. Ich sah, wie sie sie ins Licht hielt. Plötzlich lächelte sie. »Ah, hab ich's mir doch gedacht!«

Ich war mit einem Satz bei ihr.

»Hier!« Marys fleischiger Mittelfinger deutete auf die blütenweiße Oberfläche der Karte.

»Da war etwas eingeprägt, sehen Sie, Sir? Das Blattgold ist weggewaschen worden, aber man kann es noch erkennen – wenigstens die großen Buchstaben. H-o-t-e-l W-e-s-t-m-i-n-s-t-e-r«, buchstabierte sie. »Hotel Westminster. Ganz deutlich.«

Eine Sekunde lang starrte ich sie noch ungläubig an,

dann zerrte ich sie an mich, preßte ihr einen dicken, feuchten Kuß auf die Wange und stürmte zur Tür. »Ein Taxi!« schrie ich, während ich die Treppe hinunterpolterte. »Ruft mir ein Taxi. Sofort!«

»Sind Sie völlig sicher, daß das die richtige Adresse ist, Sir?«

Die Stimme des Taxifahrers sagte eine ganze Menge mehr als seine Worte, und als ich mich vorbeugte und durch das Fenster zu dem Gebäude hinüberblickte, vor dem wir angehalten hatten, verstand ich ihn um einiges besser als vorhin, als ich ihm die Adresse genannt und ein zweifelndes Stirnrunzeln als Antwort bekommen hatte.

»Wenn das hier die Pension Westminster ist, dann ja«, antwortete ich zögernd. Der Fahrer nickte. Er war ein großer, vierschrötiger Kerl, der auf meine diversen Versuche, ein Gespräch in Gang zu bringen, stets nur mit einem Knurren geantwortet hatte, aber er hatte ein gutes Gesicht und offene Augen. Ich gebe viel auf Augen. Gesichter können täuschen; Augen nicht. »Das ist sie. Und Sie sind sicher, Sir, daß Ihr Freund hier wohnt? Es gibt nämlich auch ein Hotel Westminster.«

Ich versuchte zu lächeln, aber es gelang mit nicht wirklich. Was das Hotel Westminster anging – dort war ich schon gewesen, vor sechs oder sieben Stunden. In beiden Hotels dieses Namens, die es in London gab. Und auch in den vier Pensionen, die unter dem Stichwort Westminster im Branchenverzeichnis geführt wurden. Ich hatte an die fünfzig Pfund an Taxi- und mehr als die doppelte Summe an Bestechungsgeldern ausgegeben, damit mich mehr oder weniger hartnäckige Portiers und Empfangsdamen einen Blick in ihre Gästebücher werfen ließen. Nur H. P., den geheimnisvollen H. P.

75

hatte ich im Westminster nicht gefunden. In keinem der verschiedenen Westminster.

Nun, wenigstens hatte ich es versucht. Aber einen Mann, von dem man nichts als die Initialen H. P. kannte, in einer Millionenstadt wie London finden zu wollen, war ein Unterfangen, das dicht an Wahnsinn grenzte. Ich war nahe daran gewesen aufzugeben, als ich von einem der stets hilfsbereiten, Londoner Bobbys erfuhr, daß es auch noch dieses... Etablissement mit dem Namen Westminster gab. Allerdings war der Name das einzige, worin es den diversen anderen Hotels und Pensionen, die ich heute schon aufgesucht hatte, glich. Die Pension lag in einer Straße, die selbst im Armenviertel von Bagdad noch als schäbig gegolten hätte. Von den zwei Dutzend Laternen, die die schmale, kopfsteingepflasterte Straße säumten, brannte nicht einmal ein Viertel. Und das, was ihr trüber Schein aus der Dunkelheit riß, war auch nicht gerade erhebend. Überall lagen Abfälle und Unrat, und die dunklen Umrisse überquellender Abfalltonnen hoben sich schwach gegen die nackten Ziegelsteinmauern der Häuser ab. Die wenigen Fenster, die ich sehen konnte, waren ausnahmslos mit Läden verschlossen oder schlicht und einfach vernagelt, und ab und zu sah man ein rasches Huschen oder hörte ein Quieken und das Trappeln winziger harter Pfoten. Ratten. Die einzigen Lebewesen, die sich in einer Gegend wie dieser nach Dunkelwerden noch auf die Straße wagten. Selbst hier im Wagen roch es bereits durchdringend nach Fäulnis und Abfällen, obwohl wir erst seit wenigen Augenblicken am Straßenrand standen. Die Gegend erinnerte mich auf beängstigende Weise an die Bilder aus meinem Traum.

Und was die Pension betraf... erkenntlich war sie nur

76

an einem handgemalten, lieblos befestigten Schild und einer trüben Lampe mit gesprungenem Schirm über der Tür. Auch ihre Fenster waren verschlossen, und nur durch die Ritzen eines Ladens im zweiten Stock schimmerte Licht.

»Vielleicht warten Sie einen Moment hier«, sagte ich, während ich die Tür öffnete und ausstieg. »Wenn ich in zehn Minuten nicht zurück bin, können Sie fahren.« Ich griff in die Weste, nahm eine zusammengerollte Zehn-Pfund-Note heraus und hielt sie dem Fahrer hin, aber zu meiner Überraschung schüttelte der Mann nur den Kopf.

»Tut mir leid, Sir«, sagte er. »Die Fahrt hierher kostet drei Pfund, und sobald Sie dort drinnen sind« – er deutete auf die zerschrammte Tür der Pension – »verschwinde ich von hier. Ich bin nämlich nicht lebensmüde, wissen Sie?«

Ich seufzte enttäuscht, versuchte aber nicht noch einmal, ihn zum Warten zu überreden, sondern reichte ihm schweigend die verlangten drei Pfund und ging rasch auf das Haus zu. Ich konnte den Mann nur zu gut verstehen. Vor ihm hatten sich drei andere Fahrer glatt geweigert, mich überhaupt hierher zu bringen.

Ich ertappte mich dabei, nervös nach der Pistole zu greifen, die ich in der Jackentasche trug. Auf der Straße war weit und breit niemand zu sehen, trotzdem fühlte ich mich beobachtet.

Meine Hände zitterten leicht, als ich anklopfte. Die Schläge hallten dumpf durch das Haus, und ich konnte hören, wie irgendwo in seinem Inneren eine Tür aufgestoßen wurde und schlurfende Schritte näherkamen.

Ich drehte mich halb um und bedeutete dem Taxifahrer mit Gesten, noch einen Moment zu warten. Der Mann

nickte und begann nervös auf dem Lenkrad herumzu-
trommeln. Auf der anderen Seite der Straße bewegten
sich Schatten.

Die Tür wurde lautstark entriegelt, öffnete sich jedoch
nur wenige Zentimeter, ehe sie von einer vorgelegten
Kette gesperrt wurde. Ein Paar dunkler, noch halb vom
Schlaf verschleierter Augen blickte mißtrauisch zu mir
heraus.

»Wat gibt's?« Das war Goliath, kein Zweifel. Ich atmete
innerlich auf.

Die Begrüßung war nicht gerade freundlich, aber ich
schluckte die scharfe Entgegnung, die mir auf der
Zunge lag, hinunter, trat höflich einen halben Schritt
zurück und deutete eine Verbeugung an. »Guten
Abend, Sir«, sagte ich steif. »Ich ... suche einen Ihrer
Gäste. Wenn Sie vielleicht so freundlich wären —«

»Bin ich nich«, unterbrach mich der andere. »Wissense
überhaupt, wie späts is?«

»Kurz nach Mitternacht«, antwortete ich automatisch.
»Aber mein Anliegen ist wichtig.«

Mein unfreundliches Gegenüber seufzte, verdrehte die
Augen und wollte die Tür ins Schloß werfen – aber ich
hatte mittlerweile den Fuß im Spalt, und die straff ge-
spannte Kette hinderte ihn auch daran, die Tür noch
weiter zu öffnen, um etwa herauszukommen und hand-
greiflich zu werden. Der Typ dazu war er.

»Also gut«, murmelte er schließlich. »Mit wem wollense
sprechen?«

»Mit H. P.«, antwortete ich. »Einem Ihrer Gäste. Vielleicht wären Sie so nett —«

»H. P.? Hier gibts kein H. P.«, behauptete Rowlf. Ganz
offensichtlich erkannte er mich in dem schwachen Licht
vor der Tür nicht. »Hier hats auch nie ein gegeben.«

78

»Das ist nicht wahr«, sagte ich ruhig. »Warum ersparen Sie sich und mir nicht unnötigen Ärger und holen H. P. herunter? Vorgestern abend waren Sie weniger zurückhaltend – erinnern Sie sich?«

In Goliaths Gesicht zuckte es. Ich konnte nicht viel von seinen Zügen erkennen, aber was ich sah, gefiel mir so wenig wie beim letzten Mal. Rowlf wurde nicht gerade hübscher, wenn er unausgeschlafen war. Und wahrscheinlich verbesserte das auch seine Laune nicht besonders. Eine halbe Minute lang musterte er mich durchdringend von Kopf bis Fuß, aber schließlich gab er nach. »In Ordnung, Mista Oberschlau«, knurrte er. »Nemse den Fuß ausse Tür. Ich mach auf.«

Ich sah ihn einen Moment scharf an, nickte knapp und trat wieder zurück. Die Tür krachte unnötig hart ins Schloß, ich hörte ihn mit der Kette hantieren, dann schwang die Tür erneut auf und gewährte mir einen Blick auf einen düsteren, nur von einer einzigen, halb heruntergebrannten Kerze erleuchteten Korridor.

Rasch trat ich ein, drehte mich herum und winkte dem Taxifahrer zu. Der Mann tippte kurz an die Krempe seiner schwarzen Schlägerkappe, ließ den Wagen an und fuhr los.

Rowlf schlurfte vor mir den Gang hinab. An seinem Ende befand sich eine zweiteilige, nur halb geschlossene Tür, durch deren Spalt warmes rotes Licht schimmerte. Mein seltsamer Führer stieß einen der Türflügel vollends auf, deutete eine einladende Geste in den dahinterliegenden Raum an und drehte sich gleichzeitig um. Direkt neben der Tür führte eine Treppe in die oberen Stockwerke des Hauses hinauf.

»Wartense hier«, sagte er unfreundlich. »Ich geh H. P. fragen.«

79

Ich sah ihm kopfschüttelnd nach, wandte mich aber
nach einem Moment gehorsam um und trat in den
Raum, den er mir angewiesen hatte. Erneut ertappte ich
meine Hand dabei, wie sie nervös über den Griff der
Waffe strich, die ich unter meinem Mantel verborgen
hatte. Auch wenn ich es selbst nicht zugeben wollte –
aber dieses heruntergekommene Haus und sein seltsamer Türwärter flößten mir Unbehagen ein, ja, beinahe
schon Furcht. Es ging etwas sonderbar Düsteres von
diesem alten Gemäuer aus. Und wieso war Rowlf mit einemmal so sonderbar? Wieso tat er so, als würde er
mich nicht kennen? Der Raum, in dem ich mich befand,
schien eine Mischung aus Bibliothek und Salon zu sein.
Eine Wand wurde ganz von einem deckenhohen, bis
zum Bersten gefüllten Bücherregal eingenommen, an
der Wand gegenüber befand sich ein gewaltiger, mar-
morner Kamin, in der Mitte des Zimmers stand ein
nicht minder gewaltiger Tisch, der von einem halben
Dutzend kostbarer Stühle flankiert wurde. Der Raum
war wesentlich eleganter – und auch sauberer –, als ich
erwartet hatte. Und trotzdem verstärkte sich der Eindruck, den ich von diesem Gebäude hatte, noch, und
mein Unbehagen wuchs. Vielleicht war es ein Fehler
gewesen, hierher zu kommen. Was, wenn H. P. und
Rowlf wirklich mit dem Tod meines Großvaters zu tun
hatten – aber anders, als ich bisher angenommen hatte?
Ich blieb einen Moment unschlüssig unter der Tür stehen, sah mich um und trat schließlich zum Kamin. Die
Flammen brannten hoch und erfüllten den Raum gleichermaßen mit Licht und behaglicher Wärme. Ich legte
meinen Mantel ab, ging vor dem Kamin in die Hocke
und hielt die Hände über die Flammen.
Nach einer Weile hörte ich Schritte. Ich richtete mich

80

auf und wandte mich um, aber zu meiner Enttäuschung erschien nicht H. P., sondern wieder das Bulldoggengesicht in der Tür.

»H. P. kommt gleich«, knurrte er unfreundlich. »Sie sollens sichn bißchen bequem machen, bisser da is.« Er schlurfte an mir vorüber, öffnete einen Schrank und nahm zwei Gläser und eine geschliffene Glaskaraffe hervor. Mit einer Kopfbewegung dirigierte er mich zum Tisch, schenkte eines der Gläser voll und stellte das andere umgedreht auf den Tisch.

»Ich geh dann«, nuschelte er. »Er wird gleich kommn. Wennse was brauchn tun, dann rufnse mich.« Ohne eine Antwort abzuwarten, schlurfte er zur Tür, warf sie hinter sich ins Schloß und polterte lautstark die Treppe hinauf. Ich griff nach dem Glas, das er mir eingeschenkt hatte, und nippte vorsichtig daran.

Die dunkelrote Flüssigkeit darin war Portwein, ein ganz ausgezeichneter Portwein sogar. Kein Getränk, das man in einem Haus wie diesem anzutreffen erwartete.

Ich stellte das Glas behutsam auf den Tisch zurück und stand auf, um mich gründlicher umzusehen.

Aber ich kam nicht dazu, das Zimmer genau zu inspizieren. Ich war kaum an das Regal herangetreten und hatte eines der Bücher zur Hand genommen, als die Tür hinter meinem Rücken erneut geöffnet wurde. Mit einer fast schuldbewußten Bewegung wandte ich mich um und sah dem Neuankömmling entgegen.

Es war H. P. Und ich sah ihn jetzt zum ersten Mal deutlich: Er mochte etwa vierzig Jahre alt sein – vielleicht etwas jünger – war schlank und hatte ein schmales, beinahe asketisch geschnittenes Gesicht. Über der hohen Stirn hatten sich zwei tiefe Geheimratsecken in den Haaransatz gegraben, und auf den Wangen lagen Schat-

81

ten, als hätte er eine schwere Krankheit hinter sich.
Sein Mund war klein und spitz, und er hatte schmale,
nervöse Hände, die niemals ruhig zu sein schienen.
Doch in dem Blick seiner dunklen, intelligenten Augen
lag soviel Sanftheit, daß ich mich – fast gegen meinen
eigenen Willen – gleich zu ihm hingezogen fühlte.
H. P. war schließlich der erste, der das Schweigen
brach. Er räusperte sich, drückte die Tür hinter sich mit
einer heftigen, fast übertrieben schnellen Geste ins
Schloß und kam auf mich zu. Später sollte ich noch merken, daß alles, was er tat, schnell und übertrieben heftig
geschah. Jetzt verwirrte mich seine scheinbar sinnlose
Hast.
Zwei Schritte vor mir blieb er stehen und deutete mit
einer knappen Geste auf den Tisch, an dem ich zuvor
schon gesessen hatte. »Sie sind also gekommen«, sagte
er.
»War es nicht das, was Sie wollten?« fragte ich.
H. P. nickte. »Doch. Aber ich hätte mir gewünscht, daß
es unter ... anderen Umständen geschieht.« Er seufzte
und machte eine einladende Geste auf einen der
Stühle. »Nehmen Sie Platz, junger Mann«, sagte er ab-
gehackt. »Es redet sich besser im Sitzen.«
Ich wollte aufbegehren, mich über den unfreundlichen
Empfang beklagen, aber irgend etwas hielt mich davon
ab. Verwirrt schwieg ich eine Weile, während H. P. ge-
duldig wartete. »Ich weiß jetzt, wer ich wirklich bin«, er-
klärte ich schließlich.
»Mac hat es Ihnen also endlich gesagt?« erkundigte sich
H. P., nachdem er sein Glas umgedreht und sich einge-
schenkt hatte.
»Ja. Kurz, bevor er starb.«
H. P. nippte an seinem Portwein. Ich rührte den meinen

82

nicht an. »Und jetzt sind Sie hier, um mich zu fragen, was ich damit zu tun habe.«

»Ich bin hier, um —«, begann ich aufgebracht, sprach aber dann nicht weiter. Plötzlich fühlte ich mich leer und ausgebrannt. Erst jetzt spürte ich, wie sehr mich die stundenlange Odyssee kreuz und quer durch London erschöpft hatte. Vielleicht war ich einfach hier, weil ich jemanden zum Reden brauchte.

»Ich weiß es nicht«, flüsterte ich. »Ich weiß überhaupt nichts mehr. Großvater ist tot, und plötzlich ist alles anders geworden. Ich weiß nicht, was vorgeht. Wissen Sie es?«

»Hat er Sie zu mir geschickt?« wollte H. P. wissen. Er ignorierte meine Frage einfach.

»Nein«, antwortete ich müde.

»Und wie ist er gestorben? Es hieß, es hätte einen Unfall gegeben.«

»Es war kein Unfall. Aber das ist eine lange Geschichte«, antwortete ich ausweichend. »Und ich weiß nicht, ob —«

»Ob Sie sie mir erzählen können?« H. P. lächelte, wurde aber sofort wieder ernst. »Sie können es, Robert. Ihr Großvater und ich waren Freunde. Ich weiß alles.«

Seine Worte überraschten mich nicht. Und ich spürte, daß er die Wahrheit sprach. »Dieser Mann, von dem er erzählte«, sagte ich zögernd. »Der Fremde, der ihm das Haus und all das Geld und... und das Kind gebracht hat —« Ich zögerte wieder einen Moment, dann hob ich den Kopf und sah ihm fest ins Gesicht.

»Das waren Sie, nicht wahr?«

H. P. nickte. »Ja. Das war ich. Und jetzt erzählen Sie von Anfang an. Wir haben viel Zeit.«

Ich begann zu reden. Und es dauerte sehr, sehr lange.

Rowlf brachte uns eine neue Flasche Portwein, schenkte mit geschickten Bewegungen ein und schlurfte wieder aus dem Zimmer. Ich sah ihm nach, bis er die Tür hinter sich zugezogen hatte, und unterdrückte ein Gähnen. Meine Augen brannten; zum einen Teil von den dünnen schwarzen Zigarren, die H. P. ununterbrochen rauchte, zum andern Teil auch schlicht aus Müdigkeit. Durch die Ritzen der vorgelegten Läden sickerte das graue Licht der heraufziehenden Dämmerung. Wir hatten die ganze Nacht geredet, und längst nicht nur über das, was in jenen schrecklichen Stunden geschehen war – H. P. hatte mich über alles und jedes ausgefragt, beginnend mit den ersten Jahren meines Lebens, an die ich mich zu erinnern vermochte. Und ich hatte ihm getreulich geantwortet. Mir war klar geworden, daß es wichtig war und daß vom Ausgang dieses Verhöres viel abhing. Mein anfängliches Unbehagen war im Laufe der vielen Stunden einem gewissen Vertrauen diesem seltsamen Mann gegenüber gewichen.

»Wenn du müde bist«, sagte H. P., – wir waren sehr bald zum vertrauten Du übergewechselt – »legen wir uns schlafen. Wir können später weiterreden.«

Ich wehrte mit einem Kopfschütteln ab, schirmte mit der Hand ein Gähnen ab und griff nach meinem Portweinglas, um mich dahinter zu verkriechen. Ich spürte, daß ich zuviel getrunken hatte, aber meine Lippen brannten vom langen Reden, und mein Gaumen fühlte sich ausgetrocknet an, als hätte ich wochenlang gedurstet. Ich war müde, hundemüde sogar. Aber jetzt einfach ins Bett zu gehen, so als wäre nichts passiert, kam nicht in Frage. »Danke«, sagte ich. »Es geht schon noch.« Ich wies mit einer Kopfbewegung zum Fenster.

84

»Es lohnt ohnehin nicht mehr, sich schlafen zu legen. Ehe ich zu Hause bin, ist längst Frühstückszeit.«

H. P. runzelte die Stirn und sog wieder an seiner schwarzen Zigarre. »Du kannst hier schlafen«, sagte er. »Es sind genug Betten frei.«

Für einen Moment war ich fast versucht, sein Angebot anzunehmen. Dieses Haus hier war mir noch genauso unheimlich wie gestern nacht, aber der Gedanke, wieder zum Ashton Place und damit in die Nähe dieser fürchterlichen Uhr zurückzukehren, gefiel mir ebensowenig. Trotzdem schüttelte ich den Kopf. »Das geht nicht. Man erwartet mich. Mary wird sich sowieso Sorgen machen, wo ich bleibe – nach allem, was passiert ist.«

»Ich würde sie gerne kennenlernen«, sagte er nach einer Weile. »Wenn du nichts dagegen hast.«

»Warum sollte ich?«

Er zuckte mit den Achseln, schnippte seine Asche in den Kamin und gähnte hinter vorgehaltener Hand. Er mußte ebenso müde sein wie ich. Aber es gab noch so viel zu bereden. H. P. hatte alles von mir erfahren, was er wissen wollte, aber ich selbst hatte nicht mehr als drei oder vier Fragen stellen können. Dabei war ich ja eigentlich hierhergekommen, um ihn auszufragen.

»Du warst ein guter Freund meines Großvaters?« fragte ich.

»Um ehrlich zu sein: nein. Ich kannte ihn, viel besser, als er glaubte, aber das mußte ich auch, wenn ich dich ihm anvertrauen wollte. Und ich glaube, meine Wahl war trotz allem gut.« Er sah mich für einen Moment auf seltsame Weise an, ehe er weitersprach: »Ich war ein sehr guter Freund deines Vaters.« Etwas leiser und mit

85

deutlich veränderter Stimme fügte er hinzu: »So wie er mein einziger Freund war.«

Ein sonderbar weicher Zug trat auf sein Gesicht, der zu seinem heftigen Wesen nicht recht paßte. Aber ich hatte noch eine andere Frage. Eine, die mich seit zwei Tagen quälte, und vor der ich trotzdem fast panische Angst hatte.

»Dieser Mann, H. P. Der Mann, den ich gesehen habe, als mein Großvater starb – war das mein Vater?«

H. P. schwieg endlose Sekunden. Dann nickte er. »So, wie du ihn beschrieben hast – ja.«

»Wie ist er gestorben?«

H. P. antwortete nicht darauf, sondern sprach wie geistesabwesend vor sich hin: »Er lehrte mich vieles. Und ich ihm. Wir hatten uns gegenseitig das Leben zu verdanken.« Er brach ab. Für zwei, drei Sekunden verdüsterten sich seine Züge. Seine Hände spannten sich um die Armlehnen seines Sessels, als wollte er sie zerbrechen. In seinem Gesicht zuckte ein Muskel.

»Es tut mir leid«, murmelte ich. »Aber ich muß es wissen.«

H. P. holte hörbar Luft. »Natürlich«, sagte er. »Du hast ein Recht, alles zu erfahren. Du bist schließlich der Sohn deines Vaters. Und sein Erbe.« Etwas an der Art, in der er die letzten drei Worte aussprach, gefiel mir nicht. »Wie meinen Sie das?« fragte ich.

»Später«, antwortete er ausweichend. »Du wirst alles erfahren, aber vorher gibt es ein paar Dinge zu tun.«

Verwirrt griff ich nach meinem Glas, nippte von dem Portwein und stellte es behutsam auf den Tisch zurück. Meine Hände zitterten.

H. P. sah mich scharf an. »Fühlst du dich nicht wohl?« fragte er.

86

Ich schüttelte den Kopf. »Nein«, sagte ich rasch. »Das heißt, doch. Ich ... bin schon okay. Es war nur alles ein bißchen zuviel. Ich begreife nur die Hälfte von dem, was hier vor sich geht.«

»Ich fürchte, noch sehr viel weniger«, murmelte H. P. »Wenn das, was du mir erzählt hast, alles wirklich so geschehen ist, dann bist du in Gefahr, Junge.« Beinahe hätte ich gelacht. »Das ist mir nicht entgangen, H. P.«, sagte ich. »Ich verstehe nur nicht, warum.«

»Weil du Robert Cravens Sohn bist«, antwortete er in einem Ton, als wäre diese Erklärung die natürlichste der Welt. »Und weil sich der Fluch der Hexen bis in die letzte Generation der Familie fortsetzt.«

Trotz des prasselnden Feuers im Kamin schien es plötzlich mehrere Grade kälter im Raum zu werden. Ich schauderte.

Wieder schwieg er einen Moment, und der Blick, mit dem er mich maß, war von einer seltsamen Mischung aus menschlicher Wärme und Freundschaft und Sorge. »Zuerst einmal«, fuhr er dann mit veränderter Stimme fort, »müssen wir dich in Sicherheit bringen. Ich weiß noch nicht wie, und ich weiß auch noch nicht, was das alles zu bedeuten hat, aber ich habe einen ... Verdacht. Ich muß ihn überprüfen. Aber das wird ein paar Tage dauern.«

»Dieses Ding, das ... das meinen Großvater getötet hat«, sagte ich leise. »Was war das?«

»Ich weiß es nicht«, gestand H. P. »Sie haben viele Diener. Manche davon sind schrecklicher, als du dir vorstellen kannst.«

»Ich kann mir eine ganze Menge vorstellen«, sagte ich zögernd.

H. P. nickte. Er wirkte sehr ernst. »Eben«, sagte er.

»Aber das Sicherste wäre vielleicht, wenn du für ein paar Tage hierher kommen würdest. Du kannst bei mir wohnen – wir haben ohnehin viel zu reden. Sage einfach, daß du ein paar Tage wegfährst, um dich von allem zu erholen.«

»Hier?«

Der Blick, mit dem ich mich umsah, schien ihn zu amüsieren. »Laß dich nicht vom äußeren Anschein täuschen, Robert«, sagte er.

»Und die anderen Gäste?«

»Es gibt keine anderen Gäste hier«, sagte H. P. »Schon lange nicht mehr. Rowlf und ich sind die einzigen, die hier leben. Die Pension war schon seit Jahren geschlossen, als ich dieses Haus kaufte. Und Rowlf ist ein wahrer Meister darin, potentielle Gäste abzuwimmeln. Du bist sicher hier.«

Ich anwortete nicht mehr, sondern stand auf. »Ich glaube, es wird Zeit«, sagte ich. »Ich werde mich ein paar Stunden hinlegen und ... über alles nachdenken.«

»Gut.« Er erhob sich ebenfalls. »Wir treffen uns in der Stadt«, sagte er. »Sagen wir, am Piccadilly?«

Ich nickte, leerte gegen besseres Wissen mein Portweinglas und nahm meinen Mantel von der Sessellehne. Mir war kalt. Müdigkeit begann sich wie eine bleierne Decke über meine Glieder zu legen.

»Ich schicke Rowlf«, sagte H. P. »Er kann dir ein Taxi besorgen. Es gibt einen Stand, eine knappe Meile von hier.«

Ich hielt ihn mit einem müden Kopfschütteln zurück, warf den Mantel über meine Schultern und ging zur Tür. »Das ist nicht notwendig«, sagte ich. »Ich kann das Stück zu Fuß gehen. Der arme Rowlf muß genauso müde sein wie wir. Und mir tut die frische Luft bestimmt gut.«

H. P. runzelte die Stirn, aber ich gab ihm keine Gelegenheit, erneut zu widersprechen, sondern öffnete die Tür und lief rasch den Korridor zum Ausgang hinab. H. P. folgte mir, ging an mir vorbei, als ich stehenblieb, und öffnete die Haustür. Mir fiel auf, daß es außer dem Schloß und der Vorlegekette noch zwei weitere Riegel gab. Der Schwall eisiger Luft, der mir entgegenschlug, als H. P. die Tür öffnete, ließ mich frösteln. Ich zog den Mantel enger um die Schultern, trat einen Schritt aus dem Haus und sah mich mit einer Mischung aus Unbehagen und Erleichterung um. Es war nicht mehr dunkel, aber es war auch noch nicht hell. Auf der Straße herrschte dieses seltsame Zwielicht aus allmählich weichender Nacht und flackernder grauer Dämmerung, in dem man fast noch weniger sah als bei wirklicher Dunkelheit. Und es war kalt. Sehr kalt.

»Wann?« fragte ich.

H. P. zog seine goldene Taschenuhr aus der Weste, klappte den Deckel auf und blickte einen Moment schweigend auf das Zifferblatt. »Jetzt ist es sechs«, murmelte er. »Bis du zu Hause bist und dich ein wenig ausgeruht hast...« Er sah auf. »Sagen wir drei?«

»Um drei am Piccadilly Circus«, bestätigte ich. Ich reichte ihm zum Abschied die Hand, wandte mich mit einem letzten, flüchtigen Lächeln um und ging mit schnellen Schritten in die unwirkliche Dämmerung hinein.

Die Kälte hüllte mich ein wie ein eisiger Mantel. Die Straßen waren verlassen, als wäre dieser Teil Londons ausgestorben. Ich hatte meinen Entschluß, H. P.s Angebot auszuschlagen und zu Fuß zu gehen, schon nach wenigen Minuten bereut, aber ich war auch zu stolz, um zurückzugehen und seine Hilfe im Nachhinein doch noch anzunehmen. Außerdem schlief Rowlf wahrscheinlich schon längst, und ich wollte ihn nicht zum zweiten Mal aus dem Bett klingeln. So ging ich einfach weiter.

Und im Grunde war ich ganz froh, für eine Weile allein zu sein, all die neuen Eindrücke ein wenig verarbeiten zu können. Ich vertraute H. P., aber ich spürte, daß er mir mehr verschwiegen als mitgeteilt hatte. Diesen Mann umgab ein undurchdringliches Netz von Geheimnissen.

Meine Schritte erzeugten seltsame klackende Echos auf dem feuchten Kopfsteinpflaster der Straße. Der Nebel, der anfangs nur in dünnen Schwaden hier und da in der Luft gehangen hatte, hatte sich in den letzten Minuten verstärkt, im gleichen Maße, in dem die Nacht gewichen war, so daß es trotz der immer rascher hereinbrechenden Dämmerung nicht heller wurde.

Ich stellte den Mantelkragen hoch, senkte den Kopf und ging schneller. Meine Hand glitt, ohne daß ich es im ersten Augenblick selbst merkte, unter den Mantel und suchte die Pistole. Irgendwie beruhigte mich das Gefühl, eine Waffe zu haben. Die Gegend, in der H. P.s Pension lag, war nicht umsonst verrufen. Und ich hatte wieder das gleiche, bedrückende Gefühl wie am vergangenen Abend: das Gefühl, von unsichtbaren Augen angestarrt und beobachtet zu werden ...

Es war nicht nur ein Gefühl.

Ein Schatten tauchte vor mir im Nebel auf und verschwand wieder, zu schnell, als daß ich ihn erkennen konnte, dann hörte ich das hastige, von den grauen Schwaden gedämpfte Trappeln von Schritten.

Abrupt blieb ich stehen. Meine Hand legte sich etwas

fester um den Pistolengriff, aber ich zog die Waffe noch nicht. Wenn man mir wirklich auflauerte, dann war es vielleicht besser, den Burschen noch nicht zu zeigen, daß ich nicht ganz so wehrlos war, wie sie zu glauben schienen. Erneut fühlte ich mich auf absurde, aber schreckliche Weise an meinen Traum erinnert.

Mein Blick bohrte sich in das wogende Grau, das mich umgab. Plötzlich fiel mir auf, wie eisig es geworden war: Meine Hände und mein Gesicht prickelten vor Kälte, und mein Atem bildete dünne Wölkchen vor meinem Gesicht.

»Robert . . .«

Die Stimme war nur ein Hauch, nicht mehr als das Rascheln des Windes in der Krone eines Baumes, und sie schien aus allen Richtungen zugleich zu kommen. Wieder tauchte vor mir ein Schatten auf, und wieder war er verschwunden, ehe ich ihn genauer ausmachen konnte.

»Roooobeeeert . . .«

Verwirrt starrte ich in den Nebel. Für einen ganz kurzen Moment glaubte ich, die Stimme meines Großvaters zu erkennen, aber das war wohl nur ein Wunsch, an den ich mich für eine Sekunde klammerte. Die Stimme ähnelte der meines Großvaters, aber sie hatte einen fremden, scharfen, irgendwie bösen Unterton. Schritte trappelten hinter mir auf dem Stein, dann hörte ich ein leises, kehliges Lachen.

»Wer ist da?« fragte ich. Meine Stimme klang nicht ganz so fest, wie ich es gerne gehabt hätte. Meine Hände zitterten.

»Rooooooooooooo . . .beeeeeert . . .«

Nur dieses eine Wort, mein Name, nicht mehr. Und trotzdem ließ mich der Klang dieser unheimlichen Stimme bis ins Mark erschauern. Ich sah mich noch einmal nach allen Seiten um, atmete hörbar ein und ging weiter. Nur mit Mühe unterdrückte ich den Impuls, einfach loszurennen, so schnell ich konnte.

»Robert«, wisperte die Stimme. »Komm zu mir.«

Ich ging schneller und versuchte gleichzeitig, die Stimme zu ignorieren. Es ging nicht.

Obwohl sie so leise war, daß die Worte mehr zu erraten als wirklich zu verstehen waren, ging von ihr ein suggestiver Zwang aus, der es mir unmöglich machte, sie zu überhören. Ich konnte immer noch nicht sagen, aus welcher Richtung sie kam. Sie schien direkt aus dem Nebel zu dringen, aus allen Richtungen zugleich. Als wäre es der Nebel selbst, der zu mir sprach...

Vor mir schimmerte ein Licht durch die graue Dämmerung. Ich blieb stehen. Das Licht flackerte und war sehr schwach, aber es war nicht das Licht einer Straßenlaterne; auch nicht die Scheinwerfer eines Wagens, der sich vielleicht in diese Gegend verirrt hatte.

»Robert. Komm zu mir.«

Diesmal klang die Stimme befehlend, hart. Ich machte einen Schritt, blieb abermals stehen und versuchte angestrengt, mehr zu erkennen.

Das Licht waberte und wogte auf sonderbare Art, fast, als würde es leben. Der Schein war vom Nebel gedämpft, trotzdem erkannte ich deutlich seine giftgrüne, unheimliche Färbung, und für einen kurzen Moment schien mich etwas Unsichtbares, Eisiges zu streifen.

Dann trat die Gestalt aus dem Licht.

Die Gestalt meines Großvaters.

Trotz des immer dichter werdenden Nebels erkannte ich ihn sofort: das schmale, gutmütige Gesicht mit den immer noch wachen Augen, der spöttisch verzogene Mund, das dünn gewordene, graue Haar...

»Mac...«

Er trat ein Stück auf mich zu, blieb jedoch in drei, vier Schritten Abstand stehen und sah mich mit undeutbarem Ausdruck an. Sein Körper wirkte beunruhigend unmateriell, fast durchscheinend.

»Robert«, sagte er. »Ich habe dich gerufen. Warum bist du nicht stehengeblieben?«

Ich wollte antworten, aber ich konnte es nicht. Irgendwo, tief, tief in mir, begann eine warnende Stimme zu flüstern. Diese halb durchsichtige Gestalt vor mir erfüllte mich mit Furcht. Meine Kehle fühlte sich trocken an. Sie schmerzte.

»Was... was willst du?« fragte ich mühsam.

»Was ich will?« Mein Großvater lächelte verzeihend. »Dir helfen, Robert. Warum hast du nicht auf mich gewartet?«

»Ge...wartet?« Warum fiel es mir nur so schwer zu sprechen? Einen klaren Gedanken zu fassen?

»Aber jetzt habe ich dich ja wiedergefunden.« Plötzlich änderte sich etwas in seinem Blick. »Du bist in Gefahr, Robert«, sagte er. »In größerer Gefahr, als du ahnst.«

»Ich... weiß«, sagte ich schleppend. Hinter meinen Schläfen begann sich ein dumpfer Druck bemerkbar zu machen.

»Oh nein«, sagte Großvater spöttisch. »Du weißt es nicht, Robert. Du glaubst es zu wissen, aber dabei übersiehst du die wirkliche Gefahr. Geh nicht zurück zu H. P.«

»Nicht zurück zu H. P.?« echote ich dümmlich. »Wie meinst du das?«

Ein rascher Schatten von Ungeduld, beinahe Zorn, huschte über die Züge meines Großvaters, etwas, das ich noch nie an ihm bemerkt hatte. »Wie ich es sage,

93

Robert«, sagte er. »H. P. ist nicht der, für den du ihn hältst.«

Der Druck in meinem Kopf wurde schlimmer. Quälender. Es war, als läge ein unsichtbarer Stahlreifen um meinen Schädel, der langsam zusammengezogen wurde. Ich konnte kaum noch denken. Mein Großvater seufzte. »Aber noch ist es nicht zu spät. Er weiß nichts davon, daß ich noch existiere.« Er lachte; leise, böse und so kalt, daß ich schauderte. »Komm mit mir, Robert«, sagte er. »Wir gehen an einen Ort, an dem er dir nicht mehr schaden kann.«

Er streckte die Hand aus, trat einen weiteren Schritt auf mich zu und lächelte aufmunternd. Mein Arm zuckte. Instinktiv wollte ich nach seiner Hand greifen – aber irgend etwas hielt mich zurück.

»Komm, Robert«, sagte er noch einmal.

Der Schmerz trieb mir die Tränen in die Augen. Ich stöhnte, wankte einen Moment und machte einen halben Schritt zurück. Der Schmerz in meinem Schädel steigerte sich zu einem mörderischen Hämmern.

»Du... bist... nicht... mein Großvater«, würgte ich hervor.

Sein Blick wurde eisig. Sein Gesicht flackerte, als versuchte etwas anderes, Finsteres durch seine Züge zu brechen.

»Nicht dein Großvater?« wiederholte er lauernd.

Mühsam schüttelte ich den Kopf. »Ich... weiß nicht, wer du bist«, keuchte ich. Ich hatte kaum noch die Kraft zu stehen. »Aber du bist... nicht mein Großvater.« Der Schmerz erlosch so abrupt, als wäre er abgeschaltet worden. Ich seufzte hörbar, schwankte einen Moment vor Erleichterung und fuhr mir mit dem Handrücken über die Augen.

Macs Gestalt löste sich auf, wurde für den Bruchteil eines Lidzuckens vollends durchsichtig, so daß ich die wogenden Nebelschleier hinter ihr erkennen konnte, dann verdichteten sich die Schatten, aus denen sein Körper bestand, erneut. Aber nicht mehr zur Gestalt eines Menschen.

Ein ungläubiger Schrei entrang sich meiner Kehle, als ich sah, was sich aus wirbelndem Nichts und Nebel vor mir zusammenballte.

Das Ding hatte einen Kopf, einen Rumpf, zwei Beine und zwei Arme – aber damit hörte die Ähnlichkeit mit einem Menschen auch schon auf. Es war groß wie ein Bär und womöglich noch massiger, und sein Körper bestand zur Gänze aus einer grünlichen, schleimigen Masse, einer wabbelnden Gallerte, die in beständiger Bewegung war und immer wieder auseinanderzufließen und sich neu zu formen schien. Seine Hände waren glitschige Klumpen ohne sichtbare Finger oder Daumen.

Entsetzt taumelte ich zurück. Das Ungeheuer stieß einen widerlichen blubbernden Laut aus, hob in einer nur scheinbar schwerfälligen Bewegung einen Fuß vom Boden und torkelte auf mich zu. Seine gewaltigen Arme griffen gierig in meine Richtung.

Mit einer verzweifelten Bewegung sprang ich zur Seite, riß den Revolver unter dem Mantel hervor und duckte mich. Irgend etwas sagte mir, daß es sinnlos wäre zu fliehen; allein der Gedanke, diesem Ding den Rücken zuzudrehen, war mir unerträglich.

Das Monstrum griff an. Sein ganzer Körper schien in eine einzige, wabbelnde Bewegung zu geraten; es floß mehr auf mich zu, als es lief. Ich schwang meine Waffe und zielte nach der Stelle, an der bei einem Menschen das Gesicht gewesen wäre.

Der Schuß peitschte unheimlich laut durch die stille Straße. Gleichzeitig stürmte das Monster weiter vor und griff mit seinen schrecklichen Armen nach mir. Die Kugel zeigte nicht die geringste Wirkung!

Und dann war es heran. Ich schrie vor Schmerz, als mich seine Hände berührten. Das schleimige Äußere des Ungeheuers suggerierte Kraftlosigkeit, aber seine Hände waren wie Stahlklauen. Meine Rippen knackten, als sich seine Arme in einer tödlichen Umklammerung um meinen Oberkörper legten. Pfeifend entwich die Luft aus meinen Lungen.

Blind vor Schmerz und Angst riß ich die Pistole hoch, packte sie wie eine Keule mit beiden Händen und schleuderte sie mit aller Kraft auf den Schädel des Monsters.

Ein schmerzhaftes Zucken lief durch den Körper des Horrorwesens. Sein Griff lockerte sich; nur um eine Winzigkeit und nur für den Bruchteil einer Sekunde, aber dieser kurze Augenblick genügte mir. Die Angst gab mir die Kräfte eines Riesen. Mit einer verzweifelten Anstrengung sprengte ich seine Umklammerung, taumelte rücklings davon und fiel schwer auf den Rücken. Mein Gegner stieß einen grauenhaften, matschig klingenden Laut aus, torkelte und kämpfte mühsam um sein Gleichgewicht.

Er wankte. Ein tiefes, gequältes Stöhnen entrang sich seiner Brust. Die Hände fuhren haltlos durch die Luft. Langsam, als wehre er sich noch immer mit der ganzen Kraft seines titanischen Körpers, sackte er in die Knie, stützte sich einen Moment mit den Armen ab und sank schließlich ganz um.

Dann begann er auseinanderzufließen. Die grüne Masse, aus der sein Körper bestand, schien von einer

Sekunde auf die andere ihren Halt zu verlieren. Dünne, glitzernde Schleimfäden tropften zu Boden, gefolgt von faustgroßen Klumpen und Brocken.

Es ging unheimlich schnell. Der Leib des Ungeheuers zerschmolz zu einer glibbrigen amorphen Masse ohne sichtbare Glieder, floß weiter auseinander und zerlief zu einer brodelnden Pfütze grünlichweiß schimmernder, zäher Flüssigkeit.

Langsam richtete ich mich auf. Meine Hände und Knie zitterten, und der furchtbare Anblick ließ meinen Magen rebellieren; aber ich zwang mich, weiter zuzusehen und trat nach einigen Sekunden sogar einen Schritt näher.

Von dem Monster war nichts mehr zu entdecken. Auf dem Kopfsteinpflaster vor mir breitete sich eine glitzernde Pfütze mit einem Durchmesser von fast fünf Metern aus. Schillernde Blasen stiegen an ihre Oberfläche und zerplatzten lautlos, und als ich mich noch ein Stück weiter vorwagte, stieg mir ein atemberaubender Gestank in die Nase.

Und um ein Haar hätte mich meine Neugier das Leben gekostet.

Aus der schillernden Pfütze schoß ein dünner grüner Faden, ringelte sich um mein Bein und brachte mich mit einem Ruck aus dem Gleichgewicht. Ich schrie auf, fiel zum zweiten Mal auf den Rücken und versuchte verzweifelt, mein Bein loszureißen. Es ging nicht. Der Faden war nicht viel dicker als mein kleiner Finger, aber er verfügte über schier unglaubliche Kraft. Ich spürte, wie meine Haut aufriß und Blut an meinem Fuß herablief. Und der Strang zog sich weiter zusammen. Der Schmerz war furchtbar.

Mit einer verzweifelten Bewegung warf ich mich herum

und stemmte mich hoch, soweit es meine bizarre Fessel zuließ.

Im Zentrum der Pfütze stiegen nun mehr Blasen auf. Die Flüssigkeit kochte und brodelte. Grünbraune Schlieren bildeten sich, wirbelten wie in einem gewaltigen Sog aufeinander, dann stieg ein faustgroßer Klumpen an die Oberfläche und begann zu wachsen.

Der Anblick ließ mich für einen Augenblick sogar den Schmerz vergessen. Das Ungeheuer begann sich neu zu formen!

Ich schrie erneut auf und riß mit aller Gewalt an dem Schleimfaden, aber das einzige Ergebnis war, daß er sich noch tiefer in mein Fleisch schnitt. Verzweifelt sah ich mich um. Die Straße war leer, nirgends war etwas zu sehen, das ich behelfsmäßig als Waffe hätte benutzen können, und wenn meine verzweifelten Schreie überhaupt bis zu den Bewohnern der Häuser drangen, so bemühten sie sich vermutlich geflissentlich, sie zu überhören.

Meine Pistole! Wo war meine Pistole?! Mein Blick tastete über die brodelnde Pfütze, verharrte einen Moment auf dem wabbelnden, rasch größer werdenden Klumpen in ihrem Zentrum und glitt weiter. Es würde nur noch Augenblicke dauern, bis das Ungeheuer in alter Macht wiedererstanden war. Und ein zweites Mal würde ich keine Chance haben.

Ich entdeckte die Waffe. Sie lag gar nicht weit weg von mir – aber sie befand sich unter einer brodelnden Schicht grüner Flüssigkeit.

Als hätte das Ungeheuer meine Gedanken gelesen, zerrte der Faden mit einem heftigen Ruck an meinem Fußgelenk und zog mich auf die Pfütze zu, und ich schrammte mit dem Gesicht über das harte Pflaster. Im letzten Augenblick stemmte ich mich noch einmal hoch und streckte den Arm aus.

Für einen Moment war der Ekel fast stärker als meine Furcht. Meine Finger verharrten wenige Millimeter über der Oberfläche der brodelnden Pfütze. Ich spürte die Wärme, die von der Flüssigkeit ausging. Der Gestank wurde übermächtig und nahm mir den Atem. Dann überwand ich meinen Widerwillen und schloß die Finger um die Pistole.

Meine Haut brannte, als hätte ich in Säure gegriffen. Dünne, schleimige Fäden krochen an meinem Handgelenk empor und ringelten sich um meinen Unterarm. Ich warf mich mit einem verzweifelten Ruck zurück und riß dabei die Waffe mit mir. Blind vor Schmerz und Angst zielte ich auf den dünnen Faden und drückte ab. Die Kugel durchtrennte den Strang. Der kurze Stumpf des Monsterarmes peitschte wild hin und her. Ich kroch zurück, setzte mich hastig auf und streifte das Ende des Fadens, das noch immer an meinem Fußgelenk klebte, angeekelt ab.

Für einen Moment wurde mir übel. Die Anstrengungen des Kampfes und der Schmerz waren zuviel gewesen. Ich kämpfte den Brechreiz mit aller Macht nieder und stand taumelnd auf. Mühsam hob ich den Kopf – und schrie vor Entsetzen auf.

Aus dem Zentrum der rasch kleiner werdenden Pfütze war ein gewaltiges, grünschillerndes Monstrum hervorgewachsen. Eben richtete sich sein gesichtsloser Schädel auf, starrte in meine Richtung...

Ich riß mich von dem gräßlichen Anblick los, fuhr herum und rannte, so schnell ich konnte. Mein Fuß schmerzte unerträglich. Eine dünne Spur glitzernder

Blutstropfen blieb auf dem Straßenpflaster hinter mir zurück, und meine rechte Hand brannte noch immer wie Feuer. Die Haut war rot, als wäre sie verätzt worden. Im Laufen warf ich einen hastigen Blick über die Schulter zurück und sah, daß mein Gegner bereits zur Verfolgung angesetzt hatte und hinter mir herwabbelte. Und er holte rasend schnell auf!

Ich verdoppelte meine Anstrengungen, aber meine Verletzungen beeinträchtigten mich zu sehr. Selbst wenn es nicht so gewesen wäre, wäre ich dem Unheimlichen wohl kaum entkommen. Das Wesen bewegte sich mit einer Schnelligkeit, die seinem plumpen Äußeren Hohn sprach.

Da sah ich vor mir einen Schatten durch den Nebel schimmern, und ich hörte das harte, metallische Hämmern beschlagener Pferdehufe. Der Nebel teilte sich und spuckte eine zweispännige schwarze Kutsche aus.

Um ein Haar hätte sie mich über den Haufen gefahren. Ich sprang im letzten Moment zur Seite, kam durch die abrupte Bewegung aus dem Takt und schlug lang hin. Neben mir zog der Kutscher mit einem gellenden Schrei die Zügel an; die Pferde scheuten, brachten die schwarze Kutsche zum Stehen und bäumten sich wiehernd auf.

»Robert! Bleib liegen!«

Ich gehorchte instinktiv, obwohl ich viel zu verwirrt war, um die Stimme zu erkennen. Mühsam wälzte ich mich auf den Rücken und sah, wie der Kutscher mit einem kraftvollen Satz vom Bock sprang. Gleichzeitig flog die Tür der Karosse auf, und eine schmale Gestalt sprang ins Freie.

H. P.!

Mein Blick suchte das Ungeheuer. Die Bestie raste unbeirrt weiter auf mich zu; mein Vorsprung – wenn man bei einem Mann, der lang ausgestreckt und halb gelähmt vor Schmerzen und Angst auf dem Straßenpflaster lag, noch von Vorsprung sprechen konnte – war auf weniger als zwanzig Schritte zusammengeschmolzen.

Ungläubig sah ich, wie H. P. an mir vorüberstürmte und dem Ungeheuer ohne das geringste Zeichen von Furcht entgegenlief. In seiner rechten Hand lag ein kleines, graues Etwas.

»H. P.!« brüllte ich verzweifelt. »Nicht! Es bringt dich um!«

H. P. reagierte nicht. Er lief weiter, blieb erst drei Schritte vor dem Monster stehen und riß den rechten Arm zurück. Das kleine Ding, das er in der Hand gehalten hatte, flog durch die Luft und klatschte gegen die Brust des Unholdes.

Das Ergebnis war verblüffend. Das Monster blieb so abrupt stehen, als wäre es gegen eine unsichtbare Mauer geprallt. Ein Zucken jagte wellenartig über seinen Körper. Seine Arme peitschten.

Dann begann es sich zum zweiten Male aufzulösen. Aber diesmal war es anders. Sein Leib zerfloß nicht zu grünem Schleim, sondern verdampfte!

Dort, wo H. P.s Wurfgeschoß getroffen hatte, begann sich grauer Rauch von seiner Brust zu kräuseln. Seine gallertartige Körpersubstanz begann zu kochen, zu brodeln und hin und her zu wogen. Mehr und mehr Rauch quoll hoch, und ich glaubte, ein leises, fast elektrisches Knistern zu hören.

Es dauerte nicht einmal eine Minute. Der Rauch wurde so dicht, daß er mir die Sicht auf das Ungeheuer verwehrte, aber als er sich verzog, war nicht mehr die geringste Spur von ihm zu sehen. Dort, wo es gestanden

101

hatte, lag nur mehr das kleine, graue Ding.

H. P. ging mit raschen Schritten zu der Stelle hinüber, bückte sich und hob den Gegenstand, den er geworfen hatte, mit einem flüchtigen triumphierenden Lächeln auf. Eine Hand berührte mich an der Schulter, und als ich aufsah, blickte ich in ein breitflächiges, dunkles Gesicht, das mich besorgt musterte. Ich hatte nicht einmal gemerkt, daß Rowlf neben mir niedergekniet war.

»Alles in Ordnung?« brummte er.

»Ja« sagte ich und schüttelte den Kopf. Rowlf grinste, schob seine gewaltigen Pranken unter meinen Rücken und richtete mich ohne sichtbare Anstrengung auf.

»Was ... mein Gott, was war das?« stammelte ich hilflos. Rowlf antwortete nicht, sondern stand schweigend auf und stellte mich wie ein Spielzeug auf die Füße. Ich war so erschöpft, daß ich gleich wieder umgesunken wäre, wenn er mich nicht gestützt hätte.

»Bring ihn in die Kutsche«, sagte H. P. Rowlf knurrte irgend etwas, nahm mich kurzerhand auf die Arme und trug mich trotz meiner Proteste in die Kutsche. Behutsam setzte er mich ab, grinste noch einmal und ging wieder nach vorne zum Bock. Wenige Sekunden später stieg auch H. P. zu mir herein, zog die Tür hinter sich zu, und der Wagen setzte sich in Bewegung.

»Das war knapp«, sagte er lächelnd, nachdem er sich gesetzt und mich einen Moment lang prüfend angesehen hatte.

»Ich ... ich danke dir für die Hilfe«, murmelte ich verstört. »Aber woher ...«

H. P. lächelte. »Woher ich es gewußt habe? Gar nicht. Aber mein Gefühl sagte mir, daß es besser wäre, wenn ich dir nachfahre. Wie sich gezeigt hat, hat es nicht getrogen.«

»Was war das?« fragte ich. »Dieses Ungeheuer . . .«
»Ein Schoggothe«, antwortete H. P. gelassen. »Eine Art
Dämon, wenn du so willst. Das Wort trifft es zwar nicht
ganz, aber . . .« Er zuckte mit den Schultern, schwieg
einen Moment und beugte sich vor, um meinen verletz-
ten Fuß zu begutachten. »Aber das erkläre ich dir alles
später«, fuhr er in verändertem Tonfall fort. »Jetzt
bringe ich dich erst einmal zu einem befreundeten Arzt.
Und danach fahren wir gemeinsam zu dir nach Hause
und packen. Du bist dort nicht mehr sicher. Ich fürchte,
ich habe unsere Gegner unterschätzt.«
»Ja«, seufzte ich. »Das scheint mir auch so.«
H. P.s Vorhaben, mich zu einem Arzt zu bringen,
konnte ich mit Müh und Not noch verhindern – meine
Verletzungen waren allesamt nicht sehr schlimm,
eigentlich kaum mehr als Kratzer, auch wenn einige davon ganz hundsgemein weh taten, und nach den letzten
Tagen hatte ich ohnehin die Nase voll von allem, was
auch nur irgendwie nach Arzt oder Klinik aussah. Aber
es kam noch etwas dazu – auch wenn die Wunden nicht
schlimm waren, so waren sie doch eindeutig die Spuren
eines Kampfes, und ich vermochte mir lebhaft vorzu-
stellen, was mein Freund Card dazu sagen würde, sollte
er zufälligerweise davon erfahren.
Wovon ich ihn nicht abbringen konnte, war sein Entschluß, mich höchstpersönlich nach Hause zu begleiten
und sich davon zu überzeugen, daß ich auch unbescha-
det dort ankam. Und im Grunde war ich damit ganz zufrieden. Nach allem, was passiert war, erschien mir der
Gedanke, mutterseelenallein durch die Stadt zu marschieren, nicht sonderlich verlockend.
Allerdins rechnete ich nicht damit, daß wir mit der Kutsche zum Ashton Place fahren würden – aber genau das

103

tat H. P. Wir mieden die belebteren Straßen und fuhren über Wege, die ich zum Teil gar nicht kannte, aber der schwarze Zweispänner erregte natürlich trotzdem Aufsehen; selbst in einer an Extravaganzen so gewöhnten Stadt wie London gehörte ein hundert Jahre alter Pferdewagen, der zur morgentlichen Hauptverkehrszeit durch die Straßen rumpelte, nicht zu den Dingen, die man einfach übersieht. Die verwunderten Blicke, die uns nachgeworfen wurden, entgingen weder mir noch H. P. Einige Leute hielten extra ihre Wagen an, und ein- oder zweimal bemerkte ich sogar hastig hervorgeholte Fotoapparate, die auf uns gerichtet wurden. Nach dem großen Aufheben, das H. P. darum gemacht hatte, unerkannt zu bleiben, erschien mir sein jetziges Verhalten reichlich unverständlich.

Ich sprach ihn darauf an, erntete aber nur ein Achselzucken. Überhaupt kam mir H. P.s Benehmen immer seltsamer vor – er gab sich Mühe, es sich nicht allzudeutlich anmerken zu lassen, aber es war klar, daß er Angst hatte, verfolgt zu werden. Sein Blick irrte immer wieder aus dem Fenster, und mehr als einmal starrte er gebannt auf einen Punkt hinter uns oder am Straßenrand. Aber wenn er Angst hatte, verfolgt zu werden, wieso brachte er mich dann mit diesem Gefährt nach Hause?

Ich bekam auch auf diese Frage keine Antwort. H. P. verhielt sich während des gesamten Weges sehr schweigsam. Natürlich hatte ich tausend Fragen, aber er redete kaum ein Wort mit mir, sondern vertröstete mich auf später, wie er es schon im Laufe der Nacht mehrmals getan hatte. Schließlich gab ich auf.

Es ging auf sieben zu, als wir den Ashton Place erreichten. Rowlf lenkte den Zweispänner an den dem Haus

104

gegenüberliegenden Straßenrand und hielt ein paar Yards hinter meinem eigenen Wagen, einem funkelnagelneuen Porsche, den mir Großvater zu meinem zwanzigsten Geburtstag geschenkt hatte. H. P. öffnete schweigend den Wagenschlag und bedeutete mir mit einer fast befehlenden Geste auszusteigen. Ich gehorchte, hielt ihn aber am Arm zurück, als er die Tür unverzüglich wieder schließen wollte. »Kommst du denn nicht mit?« fragte ich.

H. P. schüttelte fast erschrocken den Kopf. Seine ohnehin dünnen Lippen wurden noch schmaler. Für die Dauer eines Herzschlages blickte er an mir vorbei zum Haus hinüber, und für die gleiche Zeitspanne glaubte ich so etwas wie Furcht in seinem Blick zu erkennen. Dann hatte er sich wieder in der Gewalt. »Nein«, sagte er. »Wir müssen zurück. Ich habe ... noch viel zu tun. Dinge, die keinen Aufschub dulden.«

Ich ließ seinen Arm los. Irgendwie war ich enttäuscht und erleichtert zugleich. H. P. verwirrte mich mehr, als ich mir eingestehen wollte. »Bleibt es bei unserer Verabredung?« fragte ich.

H. P. schwieg einen Moment, dann schüttelte er den Kopf. »Nein. Ich muß ... über Verschiedenes nachdenken. Ich melde mich bei dir, sobald ich gewisse Dinge herausgefunden habe. Halte dich von der Uhr fern, am besten von dem ganzen Zimmer.« Und damit schloß er den Wagenschlag, noch ehe ich einen neuen Versuch unternehmen konnte, ihn zurückzuhalten. Rowlfs Peitsche knallte, und das absonderliche Gefährt setzte sich schaukelnd und knarrend in Bewegung, wobei eines der riesigen Räder fast den Kotflügel meines Sportflitzers streifte. Der Anblick der beiden so grundverschiedenen Fahrzeuge brachte mir die Aberwitzigkeit mei-

105

ner Situation erst richtig zu Bewußtsein. Hätte mir jemand diese Geschichte erzählt, ich hätte ihn glatt für verrückt erklärt. Naja, vielleicht war ich es ja auch.

Ich sah dem Zweispänner nach, bis er verschwunden war, dann drehte ich mich um und ging langsam zum Haus hinüber.

Mary staunte nicht schlecht, als sie mich sah, aber ich wußte nicht genau, worüber sie mehr erschrak – über meinen Aufzug oder die gotteslästerliche Zeit, zu der ich nach Hause kam.

Sie verbiß sich jedoch jede dementsprechende Frage, als sie meinen Blick bemerkte. Ich knurrte sie an, mir eine riesige Kanne ihres Kaffees und ein frisches Hemd zu bringen, warf meinen Mantel zielsicher einen halben Yard neben den Haken und stürmte die Treppe hinauf, um das Gegenteil dessen zu tun, was ich H. P. vor einer Minute in die Hand versprochen hatte: Ich wollte ins Arbeitszimmer meines Großvaters. H. P.s Warnungen in allen Ehren – aber der Angriff des – wie hatte H. P. ihn genannt? Schoggothen? – hatte mir mit aller Deutlichkeit klar gemacht, daß es hier um mein Leben ging. Und ich habe nie viel von der Bibelzeile gehalten, nach der man auch noch die andere Wange hinhalten sollte, wenn man geschlagen wird. H. P. konnte oder – was wahrscheinlicher war – wollte mir nicht sagen, was hier wirklich vorging, also mußte ich auf andere Weise versuchen, die Wahrheit herauszufinden. Zum Beispiel, indem ich einen Blick in ein ganz bestimmtes Buch warf, das in dem Geheimsafe hinter dem Bild lag ...

Zunächst stieß ich allerdings bei meinem Vorhaben auf ein neues Hindernis, in Form eines kleinen, aber äußerst amtlich aussehenden Siegels, das die Tür des

Arbeitszimmers verschloß.

Einen Moment lang starrte ich das rot-weiße Stück Papier verwirrt an, dann drehte ich mich herum und brüllte wütend nach Mary. Sie kam so schnell, als hätte sie unten an der Treppe gestanden und nur auf meinen Ruf gewartet.

»Was soll das hier?« fragte ich aufgebracht und mit einer herrischen Geste auf das Siegel. »Wer hat das veranlaßt?«

»Die Polizei, Sir«, antwortete Mary kleinlaut. »Dieser schreckliche Inspektor war wieder hier, gestern nachmittag, kaum daß Sie weggegangen waren. Er ... er hat nach Ihnen gefragt.«

»Und?« fragte ich wütend.

»Danach hat er dieses Zimmer versiegelt. Und Sie sollen ihn anrufen, sobald Sie wieder da sind. Und er – «

»Und das haben Sie einfach so zugelassen?« brüllte ich. Mary wich einen halben Schritt zurück und sah mich bestürzt an. »Aber was sollte ich denn tun, Sir?« fragte sie.

Plötzlich tat mir mein grober Ton leid. Ich war gereizt, aber Mary konnte ja nun wirklich nichts dafür; sie am allerwenigsten. Ich mußte aufpassen, mich nicht zu sehr gehen zu lassen.

»Sie haben recht, Mary«, sagte ich. »Tut mir leid. Bitte entschuldigen Sie.«

Sie lächelte und war sofort wieder versöhnt. »Das macht doch nichts«, antwortete sie, wurde aber sofort wieder ernst. »Aber Sie sollten wirklich nicht dort hineingehen Sir«, fuhr sie mit einer Kopfbewegung auf die Tür fort. »Ich weiß nicht, was er da drinnen gesucht hat, aber er schien sehr aufgebracht.«

»Immerhin ist das hier noch mein Haus, oder?« fragte

ich.

Mary nickte. »Sicher. Aber an Ihrer Stelle würde ich nichts tun, was diesen Inspektor Card reizen könnte. Er scheint mir kein sehr umgänglicher Mensch zu sein.«

Marys Bedenken waren natürlich nur zu berechtigt. Wie ich Card einschätzte, würde es ihm eine wahre Freude sein, mich wegen einer Kleinigkeit wie eines erbrochenen Polizeisiegels zu schikanieren. Trotzdem – ich mußte in dieses Zimmer.

»Passen Sie auf, Mary«, sagte ich. »Ich gehe jetzt dort hinein, und Sie warten bis neun, bis die offizielle Bürozeit im Yard anfängt. Dann rufen Sie diesen Card an und erklären ihm ganz aufgeregt, daß eines der Mädchen aus Versehen das Siegel aufgebrochen hat. Er wird wie der Blitz hierherkommen, und ich selbst werde zehn Minuten nach ihm erscheinen.«

Marys Blick machte deutlich, wie wenig sie von diesem Plan hielt – und ganz ehrlich gesagt, erschien er auch mir nicht besonders einfallsreich. Aber ich hatte keine Wahl. »Und jetzt seien Sie ein Schatz und besorgen mir einen Kaffee«, sagte ich.

Dann drückte ich mit einer entschlossenen Bewegung die Tür auf.

Das Bild, das sich mir bot, übertraf meine schlimmsten Erwartungen. Das Zimmer war verwüstet, um es mit einem Wort auszudrücken. Die Spuren des Brandes waren überall: Die Tapeten waren geschwärzt, der Schreibtisch und ein Teil des übrigen Mobiliars zu schwarzen dürren Skeletten verkohlt, und von der wertvollen Büchersammlung in den Regalen war kaum mehr als graue Asche übriggeblieben. Als ich das Zimmer sah, erschien es mir fast wie ein Wunder, daß der Brand nicht auch auf die übrigen Teile des Hauses übergegrif-

108

fen hatte.

Ich schob die Tür hinter mir zu, machte einen Schritt in den Raum hinein und blieb abermals stehen. Das Feuer hatte viel zerstört, aber das Löschwasser der Feuerwehr hatte beinahe noch mehr Schaden angerichtet: Die Fußbodenbretter waren aufgequollen und glitschig, und alles war mit einer dünnen, schwarzen Schlammschicht überzogen.

Dann fiel mein Blick auf die Uhr.

Der Anblick überraschte mich nicht im geringsten, und trotzdem jagte er mir einen neuerlichen, eiskalten Schauer über den Rücken.

Sie war völlig unversehrt.

Das uralte, rissige Holz hatte nicht einmal einen Rußfleck, und die vier unterschiedlich großen Ziffernblätter glänzten, als wären sie gerade frisch poliert worden.

Ich riß mich mühsam von dem bizarren Anblick los, trat an den Kamin und betrachtete das Ölgemälde darüber. Der Brand hatte von dem Schinken nicht viel übriggelassen – was mir nun nicht unbedingt das Herz brach, ehrlich gesagt –, aber ich sah mich unversehens einer neuen Schwierigkeit gegenüber: Ich hatte keine Ahnung, wie man das Bild von der Seite bewegte. Großvater hatte mir den geheimen Mechanismus, der es zur Seite schwingen ließ, ja nie erklärt. Und es war nach dem Feuer auch fraglich, ob er überhaupt noch funktionierte.

Schließlich löste ich das Problem auf eine sehr direkte Art: Ich riß das, was von dem scheußlichen Gemälde übrig war, einfach von der Wand. Dann lag der Safe vor mir.

Und ich kam mir wie ein Idiot von.

Erst, als ich die makellos glatte Panzerplatte sah, fiel

109

mir wieder ein, daß der Tresor keinerlei sichtbaren Öffnungsmechanismus hatte ...

Zehn Sekunden lang starrte ich die schimmernde Stahlplatte feindselig an, dann stellte ich mich auf die Zehenspitzen und begann sie Millimeter für Millimeter mit den Fingerspitzen abzutasten.

Nichts – was hatte ich erwartet? Da war keine Unebenheit, kein verborgener Kontakt, rein gar nichts. In meiner Enttäuschung schlug ich schließlich völlig sinnlos mit der flachen Hand dagegen und knurrte: »Verdammt, geh endlich auf!«

Etwas machte deutlich hörbar »klick«, und die Safetür schwang lautlos nach draußen. Wieder vergingen zehn-, fünfzehn Sekunden, in denen ich nichts anderes tat als einfach dazustehen und den Safe mit offenem Mund anzustarren. Aber ich versuchte erst gar nicht, dieses neuerliche Rätsel zu lösen, sondern griff hinein, wuchtete das Necronomicon heraus und sah mich nach einer Sitzgelegenheit um, die das Feuer nicht völlig verwüstet hatte. Ich entdeckte einen Stuhl, der noch halbwegs vertrauenerweckend aussah, fegte mit dem Arm einige verkohlte Papierfetzen und die dünne Schlammschicht hinunter, die darauf lag, setzte mich und begann zu lesen ...

Es mußten fast zwei Stunden vergangen sein, ehe ich endlich die Kraft fand, mich von der Lektüre des Necronomicons loszureißen und das Buch wieder zuzuklappen. Ich fühlte mich wie betäubt. Nur sehr wenig von dem, was auf den Seiten des Necronomicons niedergeschrieben war, hatte ich lesen können, und von diesem Wenigen wiederum hatte ich nur den allerkleinsten Teil verstanden.

Aber dieses winzige Bißchen schon hatte gereicht, mich

bis auf den Grund meiner Seele zu erschüttern. Es war,
als hätte ich einen Blick in eine fremde, verbotene Welt
getan, eine Welt, die nicht für Menschen gedacht war
und in der menschliches Leben, menschliches Fühlen,
ja, vielleicht jegliche Art von Leben nicht existieren
konnte. Meine Hände zitterten, als ich aufstand und
das Buch zum Safe zurücktrug. Ich hatte Angst; Angst
wie nie zuvor in meinem Leben.

Alles, was mein Großvater erzählt hatte, stand in diesem Buch, aber in viel entsetzlicheren, direkteren Worten, als er sie gefunden hatte. All das, was H. P. in der
vergangenen Nacht angedeutet hatte, war wahr und
nicht nur das – die Wahrheit war tausendmal schlimmer, als ich selbst nach dem Angriff des Schoggothen
noch geglaubt hatte. Ich hatte einen Blick hinter den
Vorhang der Wirklichkeit geworfen, und ich hatte gesehen, was dahinter lauerte: der Wahnsinn, und etwas,
gegen das alle Schrecken des Todes verblaßten. Es gab
eine zweite Wirklichkeit hinter den Dingen, und wenn
man einmal bereit war, das zu akzeptieren, dann waren
die Folgerungen aus diesem Gedanken schlichtweg entsetzlich.

Die Großen Alten. Die Geschichte von Cthulhu und seinen finsteren Begleitern – sie war wahr. Es war nicht
nur das Buch, das mich zu dieser Überzeugung brachte;
nicht nur das, was ich gehört und gelesen und in der
vergangenen Nacht selbst erlebt hatte – ich wußte es
einfach. Später, sehr viel später, sollte ich begreifen,
daß dieses Wissen – wie so vieles – Teil meines magischen Erbes war, aber in diesem Moment verwirrte, ja,
erschreckte es mich zutiefst, denn es war von einer Un-
erschütterlichkeit, für die es keinerlei Rechtfertigung
gab. Es hatte all diese und noch schrecklichere Wesen

gegeben, zu einer Zeit, lange bevor der Mensch entstanden war, und es gab sie noch, irgendwo, verborgen in den Rissen und Falten der Wirklichkeit, chthonische schwarze Gottheiten, die in den Schatten lauerten und das Tun und Treiben der Menschen mißtrauisch und wachsam verfolgten. Aber was hatte ich damit zu schaffen?

Ich versuchte vergeblich, diese Frage und alle anderen finsteren Gedanken zu verscheuchen, schloß die Safetür und hängte das angekohlte Bild notdürftig wieder an seinen Platz. Mit etwas Glück würde Card nicht einmal bemerken, daß es entfernt worden war.

Da nahm ich aus dem Augenwinkel heraus eine Bewegung an der Tür wahr. Ich fuhr herum, duckte mich instinktiv – und unterdrückte im letzten Moment ein hysterisches Lachen. Es war kein blitzschleuderndes Ungeheuer, sondern nur Merlin, mein Kater, der mich mit leiser Verwunderung anblickte.

Ich lächelte erleichtert, ging ich die Hocke und streckte die Hand aus. »Komm her, Dicker«, sagte ich. »Du weißt ja gar nicht, wie gut du es hast, von alledem nichts zu ahnen. Nun komm schon.«

Merlin ließ ein zustimmendes *Miauuu* hören, rührte sich aber nicht von der Stelle. Sein Schwanz peitschte nervös, und seine langen, weißen Schnurrhaare zitterten.

»Was hast du?« fragte ich. »Nun komm schon!«

Merlin kam nicht. Er wich im Gegenteil rückwärts gehend zurück und blinzelte mißtrauisch zu mir herein. Sein neuerliches *Miaaau* klang eindeutig klagend, und seine Ohren zuckten wie kleine fellbesetzte Radarantennen unentwegt hin und her.

Ein rascher Schauer durchrieselte mich, als ich begriff,

112

daß der Kater Angst hatte. Nicht vor mir – vor diesem Zimmer. Genauer gesagt, vor irgend etwas in diesem Zimmer. Beunruhigt sah ich mich um, aber es war – bis auf die Verwüstungen durch den Brand – nichts Außergewöhnliches zu entdecken. Trotzdem erhob ich mich nach einigen weiteren Sekunden aus der Hocke und ging zur Tür hinaus.

»Hast ja recht, Kleiner«, sagte ich, während ich Merlin beruhigend zwischen den Ohren kraulte. »Das ist kein guter Ort.« Vielleicht spürte das Tier einfach, daß in diesem Raum etwas passiert war.

Ich schloß die Tür, versuchte das beschädigte Siegel wieder notdürftig anzubringen und sah schon nach Augenblicken ein, wie sinnlos dieses Unterfangen war. Gut, Mary würde also Card ihre Gechichte erzählen müssen. Im Moment war mein Interesse für gewisse paranoide Inspektoren von Scotland Yard eher gering.

Ich nahm Merlin auf den Arm und kraulte ihn weiter, während ich die Treppe hinunterging, um mir den versprochenen Kaffee von Mary zu holen. Das Haus war sehr still, obgleich es mittlerweile beinahe neun war, aber die beiden Mädchen waren wohl irgendwo oben beschäftigt. Ich war eigentlich froh darüber, niemandem zu begegnen, denn ich hatte wenig Lust, mitleidige Blicke ertragen oder auf ein mitfühlendes »Wie geht es Ihnen denn heute, Sir?« antworten zu müssen.

Aber es war nicht ganz ruhig. War da nicht eben ein Geräusch gewesen? Ich blieb stehen. Lauschte. Es herrschte tiefe Stille, aber trotzdem war ich vollkommen sicher, irgend etwas – ja, was eigentlich? Gehört? Gespürt? Erahnt?   zu haben. Etwas, das nicht in dieses Haus gehörte.

113

Merlin hörte auf, unter meinen kraulenden Fingern zu schnurren. Seine Ohren spitzten sich, und seine Augen wurden mit einemmal ganz groß.

Alarmiert sah ich auf. Der Blick des Katers irrte unstet über die Treppe über mir, aber da war nichts.

Nur die Schatten.

Schatten, die eine Spur zu tief waren. Schatten, die zu wachsen schienen, langsam, fast unmerklich, und die gleichzeitig dunkler wurden, eine Schwärze annahmen, der etwas Widernatürliches anhaftete. Mir war, als wäre ein leiser Ruck durch die Wirklichkeit gelaufen, als hätte sich die Realität um ein winziges Stückchen in jene Richtung verschoben, wo Alpträume und Wahnsinn nisten.

Unsinn, dachte ich. Ich begann Gespenster zu sehen, das war alles. Was auch nur zu verständlich war, nach allem, was ich durchgemacht hatte, in den letzten Tagen.

Merlin stieß ein tiefes, drohendes Knurren aus, sprang mit einem Satz von meinen Armen und fegte davon.

Und dann hörte ich es wieder, und diesmal ganz deutlich. Es waren Atemzüge.

Aber nicht die Atemzüge eines Menschen.

Es war ein tiefer, rasselnder, unendlich schwerer Laut, der mich wie eine körperliche Berührung streifte. Und er kam näher.

Ich dachte nicht länger darüber nach, sondern fuhr herum, rannte wie von Sinnen die Treppe hinunter und hielt erst wieder an, als ich die Halle zur Hälfte durchquert hatte.

Die Schatten waren noch da, aber sie hatten sich nicht bewegt, und auch das Atmen war nicht mehr zu hören. Was immer dort oben lauerte, es hatte mich nicht verfolgt.

Ich blieb einen Moment stehen, drehte mich dann um und schlug den Weg zur Küche ein. Den Mut, die Treppe jetzt noch einmal hinaufzugehen, hatte ich nicht. Den hätte wohl niemand gehabt, in diesem Moment.

Mary schenkte mir wortlos eine gewaltige Tasse Kaffee ein, als ich in ihr Reich geschlurft kam und mich setzte. Ich nickte dankbar, schüttete das Getränk in einem Zug hinunter und hielt ihr die Tasse auffordernd hin. Sie runzelte mißbilligend die Stirn, goß mir aber eine zweite Portion ein, ehe sie die Kanne demonstrativ zum Herd zurücktrug.

»Wenn Sie mir eine Bemerkung gestatten, Sir« sagte sie. »Sie sehen schauderhaft aus. Sie sollten sich ins Bett legen und vierundzwanzig Stunden durchschlafen, statt Kaffee zu trinken.«

Ich dachte an den Schatten auf der Treppe und verkroch mich hinter meiner Kaffeetasse, um nicht antworten zu müssen, aber Mary war nun einmal in Fahrt gekommen, und mein Schweigen schien sie zusätzlich zu ermuntern. Mit vor der Brust verschränkten Armen baute sie sich vor mir auf und schüttelte tadelnd den Kopf. »Sie haben wieder die ganze Nacht nicht geschlafen, stimmt's?« fragte sie. Ich nickte widerstrebend. »Ja. Aber das macht nichts. Ich habe auf Vorrat geschlafen, in der Klinik.«

»Unsinn«, sagte Mary entschieden. Ein weißes Katergesicht erschien neben ihrem Rock und blinzelte mißtrauisch zu mir herauf, verschwand aber sofort wieder, als ich auch nur die Hand bewegte. Wenn ich so weitermachte, würde ich mir Merlins Freundschaft wohl endgültig verscherzen.

115

»Wo waren Sie die ganze Nacht?« fragte Mary. »Ich habe mir Sorgen um Sie gemacht, Robert.«

»Ich habe versucht, etwas ... herauszubekommen«, antwortete ich ausweichend.

»Herauszubekommen?« Mary musterte mit unverhohlener Mißbilligung meinen desolaten Aufzug. Die blutigen Striemen an meinen Gelenken und die große Brandwunde auf meiner rechten Hand entgingen ihr keineswegs. Card würden sie auch nicht entgehen, dachte ich bedrückt. Ich würde mir noch eine Geschichte einfallen lassen müssen.

»Was herauszubekommen?« bohrte sie weiter.

Ich setzte dazu an, ihr zu sagen, daß sie das nun wirklich nichts anginge. Aber ich tat es nicht. Mary meinte es nur gut, und nach den Ereignissen der letzten Tage konnte ich es mir nicht leisten, auch nur einen der wenigen Menschen, die mir wohlgesonnen waren, zu vergrämen.

»Etwas, das mit Großvaters Tod zusammenhängt«, erklärte ich.

»Das war kein Unfall, nicht wahr?« sagte Mary plötzlich. Das Schrillen der Türglocke bewahrte mich davor, antworten zu müssen. Mary lauschte einen Moment lang mit schräggehaltenem Kopf, ob eines der Mädchen ging und aufmachte, und seufzte schließlich.

»Wie üblich«, sagte sie. »Sie tun wieder so, als hörten sie es nicht. Einen Moment, Sir.«

Kaum war sie aus der Küche, humpelte ich zum Herd und schenkte mir einen dritten Kaffee ein. Marys Todesgebräu weckte meine Lebensgeister allmählich wieder, doch mir war klar, daß sie recht hatte – selbst ihr Kaffee befähigte einen nicht, ganz ohne Schlaf auszukommen, und früher oder später würde ich zu Bett ge-

116

hen müssen. Aber ich hatte einfach Angst, die Treppe
hinaufzugehen.

Draußen in der Halle wurden Stimmen laut; die Marys
und die eines Mannes, die mir bekannt vorkam, die ich
im Moment aber nicht einzuordnen wußte. Ich stellte
die halb geleerte Kaffeetasse auf den Tisch und schlen-
derte zur Tür. Es war H. P. In seiner Begleitung war ein
ältlicher, mit einem eleganten Anzug bekleideter grau-
haariger Herr, den ich nie zuvor gesehen hatte. Rowlf
ragte wie ein Berg aus Fleisch und rotem Strubbelhaar
hinter ihnen und Mary auf, die heftig gestikulierend
versuchte, die drei morgendlichen Gäste abzuwimmeln.
Ich sah den vieren einen Augenblick lang zu, dann trat
ich zu ihnen und winkte Mary ab.

»Schon gut, Mary. Ich kenne die Herren.«

»Aber Sir!« ereiferte sie sich. »Das geht doch wirklich
nicht. Sie müssen sich ausruhen, und –«

»Es ist gut«, sagte ich noch einmal, ein ganz kleines bißchen schärfer. »Sie können gehen. Bereiten Sie unseren
Gästen einen Tee – oder ist Ihnen Kaffee lieber?«

H. P. schüttelte fast hastig den Kopf. »Weder noch«,
sagte er. »Wir haben nicht viel Zeit. Wir müssen miteinander reden«, fügte er hinzu, und auf sein Gesicht trat
ein sehr besorgter Ausdruck.

Ich deutete auf den Salon.

»Gehen wir dort hinein. Und bitte stören Sie uns nicht,
Mary.«

Mary rauschte beleidigt ab, während H. P., Rowlf, ihr
unbekannter Begleiter und ich in den Salon gingen.

H. P. kam gleich zur Sache. »Das ist Dr. Gray, Robert«,
sagte er mit einer Geste auf seinen Begleiter. »Mein
Rechtsanwalt – und ein guter Freund. Er ist in alles ein-
geweiht.«

117

Ich musterte den kleinwüchsigen Mann aufmerksam. Er hatte ein schmales, fast edel geschnittenes Gesicht und mußte weit über die sechzig hinaus sein. Seine Augen waren sehr wach, aber auch sehr freundlich. Ein bißchen erinnerte er mich an meinen Großvater.

»Freut mich, Sie kennenzulernen, Sir«, sagte ich. Zu H. P. gewandt, fuhr ich fort: »Was gibt es so Dringendes?«

Draußen in der Halle erklang erneut das schrille Läuten der Türglocke. Ich sah stirnrunzelnd auf. Manchmal ging es in diesem Haus zu wie in einem Taubenschlag – und vornehmlich dann, wenn man es am allerwenigsten gebrauchen konnte. Aber dann hörte ich Marys Schritte. Sie würde zuverlässig alle lästigen Besucher abwimmeln.

»Ich glaube, ich weiß jetzt, was das alles hier bedeutet«, erklärte H. P. Er wirkte noch nervöser und fahriger als sonst. »Gestern abend war es nur ein Verdacht, deshalb habe ich noch nicht darüber gesprochen, aber jetzt... Die Sterne, Robert. Die Sterne stehen günstig. Wieder einmal.«

»Aha«, antwortete ich. Ich verstand kein Wort.

»Ich erkläre es dir«, sagte H. P. »Aber es ist nicht leicht. Ich habe dir von deinem Vater erzählt, und daß –«

Er kam nicht dazu, weiter zu sprechen. In der Halle wurde Marys Stimme plötzlich schrill und laut, und kaum eine Sekunde später flog die Tür zum Salon mit einem Knall auf, und ein weißhaariger Hüne stürmte herein.

»Was soll das?« fragte ich erbost. »Sie –«

»Das werden Sie gleich erfahren, Mister McFaflathe-Throllinghwort-Simpson«, unterbrach mich Inspektor Card grob. »Genauer gesagt, in meinem Büro im Yard.«

118

»In Ihrem Büro?« wiederholte ich verwirrt. Gray straffte sich.

»Ganz recht, Mister McFaflathe-Throllinghwort-Simpson«, bestätigte er – mit einem eindeutig triumphierenden Lächeln. »Wenn ich Sie also bitten dürfte.«

»Sie dürfen gar nichts«, sagte Gray schneidend. »Wer sind Sie überhaupt, Sir?« »Wer ich bin?« Card zog fröhlich eine Visitenkarte hervor und gab sie Gray, der sie sehr aufmerksam las und dann in seiner Rocktasche verstaute. »Und wer sind Sie, Sir?«

»Mein Name ist Gray«, antwortete Gray. »Dr. Dr. Dr. Samuel Gray, um genau zu sein. Ich bin Mister McFaflathe-Throllinghwort-Simpsons Rechtsbeistand.«

»Na bestens«, antwortete Card ungerührt. »Dann sollten Sie Ihrem Klienten vielleicht raten, mich freiwillig zu begleiten, Dr. Dr. Dr. Gray. Sonst müßte ich ihm nämlich Handschellen anlegen, wissen Sie?«

Als wir gekommen waren, war die Sonne noch weit im Osten gestanden, und das altehrwürdige, aus graubraunem Sandstein erbaute Gebäude schien noch nicht ganz erwacht zu sein. Jetzt stand die Sonne hinter den blind gewordenen Scheiben des kleinen Büros fast im Zenit und verriet mir, daß es bald Mittag war. Ich fühlte mich erschöpft und müde. Ich hatte geredet, zugehört, wieder geredet und zugehört, Fragen beantwortet und selbst welche gestellt, und irgendwann hatte das Gespräch angefangen, sich im Kreise zu drehen. Es war das zweite Mal innerhalb kurzer Zeit, daß ich das Vergnügen hatte, mich mit Jeremy Card zu unterhalten, und er war kein bißchen weniger ekelig als beim ersten Mal. Dabei ließ er keine Gelegenheit verstreichen, mich spüren zu lassen, daß er in Wahrheit noch ganz anders konnte, wenn er nur wollte.

Wenigstens hatte er darauf verzichtet, mich in Handschellen hierherbringen zu lassen.

Trotzdem fühlte ich mich unbehaglich, ganz vorsichtig ausgedrückt. Und das Schlimmste war – ich wußte nicht, was Card eigentlich von mir wollte. Nur eines war mir von der ersten Sekunde an klar gewesen – diesmal handelte es sich nicht um eine behutsame Befragung wie am Tage nach dem Tod meines Großvaters. Was Card jetzt mit mir tat, war ein Verhör. Er machte nicht einmal einen besonderen Hehl daraus.

Card seufzte und unterbrach so das lange, unangenehme Schweigen, das sich zwischen uns ausgebreitet hatte. Der Blick, mit dem er abwechselnd den Block, auf den er in unregelmäßigen Abständen etwas gekritzelt hatte, und mich maß, wirkte anklagend.

»Und das ist alles?« sagte er.

»Ja, verdammt«, sagte ich, lauter und um mehrere Grade gereizter, als ich vorgehabt hatte. Aber Cards offen zur Schau gestelltes Mißtrauen trieb mich schier zur Raserei. »Das ist alles, was ich Ihnen sagen kann, Inspektor.« Ich beugte mich vor, ließ die flache Hand auf den Tisch klatschen und setzte die beleidigtste Miene auf, die ich zustande brachte. »Wie oft wollen Sie mich denn noch dasselbe fragen?«

»So oft, bis ich zu der Überzeugung gelangt bin, daß Sie mir die Wahrheit gesagt haben«, erwiderte Card gelassen.

»Sie haben gar kein Recht, mich hierzubehalten«, murrte ich – und kam mir dabei ziemlich albern vor. Cards Grinsen bewies mir auch prompt, daß er nur auf diese Worte gewartet hatte.

»Siegelbruch ist eine schwere Straftat, Mister McFaflathe-Throllinghwort-Simpson«, sagte er freundlich.

120

»Das ist Ihnen doch klar, oder?«

Ich verzichtete darauf, ihm zum was-weiß-ich-wievielten Male zu versichern, daß ich das Siegel nicht aufgebrochen hatte. Es wäre auch sinnlos gewesen. Card hatte meine Geschichte keinen Augenblick lang geglaubt. Es war wohl doch nicht ganz so leicht, die Polizei an der Nase herumzuführen, wie ich gehofft hatte.

»Das ist doch nur ein Vorwand«, sagte ich gerade heraus. »Verdammt, verpassen Sie mir ein Protokoll oder eine Anzeige oder sonst etwas, und lassen Sie mich gehen – oder sagen Sie mir endlich, was Sie von mir wollen!«

Mein Wutausbruch irritierte Card nicht im geringsten. Wahrscheinlich war er ganz andere Auftritte von Leuten gewohnt, die auf diesem Stuhl saßen.

»Gut«, sagte er schließlich. »Ich will offen zu Ihnen sein, Sir.« Er beugte sich leicht vor. »Es gibt gewisse Indizien, die darauf hindeuten, daß Ihr Großvater keines natürlichen Todes gestorben ist.«

»Natürlich ist er das nicht!« fauchte ich. »Es war ein schrecklicher Unfall, der –«

»Und eben das bezweifle ich«, unterbrach mich Card. Er schien auf eine Antwort zu warten, aber ich reagierte nicht. Ich konnte ihm schlecht beipflichten, nach den diversen, teils geschauspielerten, teils echten Wutausbrüchen, die ich im Laufe des Vormittags bekommen hatte, aber ich hatte auch nicht mehr die Kraft, seine Verdächtigungen weiter zurückzuweisen.

»Sehen Sie, Sir«, fuhr er fort, »ein Mensch ist ums Leben gekommen. Ein sehr angesehenes Mitglied der Gesellschaft. Und ein sehr reicher Mann dazu. Wir vom Yard nehmen es sehr ernst, wenn so etwas passiert.«

»Ach?« fragte ich böse. »Bei einem Armen nicht?«

121

Cards Gesicht verdüsterte sich vor Zorn. »Ich weiß nicht, ob es klug ist, sich solche Scherze zu erlauben, Sir«, antwortete er eisig. »Sie unterschätzen den Ernst Ihrer Lage, scheint mir.« Er schüttelte den Kopf und trommelte mit dem stumpfen Ende seines Bleistifts auf die Tischplatte.

»Nicht, daß ich Ihre Aufrichtigkeit anzweifle, Sir«, fuhr er fort, in einem Ton, der das genaue Gegenteil behauptete. »Aber –« sein Blick wurde hart »– ich glaube, daß Sie uns eine ganze Menge verschweigen.«

»Und was soll das sein?«

Card lehnte sich in seinem Stuhl zurück. »Schauen Sie, Sir«, begann er, fast im Plauderton. »Ich habe Erkundigungen eingezogen.«

»Über mich?«

»Auch«, antwortete er. »Über Sie, Ihren Großvater... alles. Sie führen ein... sagen wir es vorsichtig: sehr bequemes Leben.«

»Wenn Sie damit meinen, daß ich keiner geregelten Arbeit nachgehe, ja«, knurrte ich. »Sprechen Sie es ruhig aus. Ich bin ein Nichtstuer. Ein verwöhnter Faulpelz, der Gott einen guten Mann sein läßt und sich nicht die Hände schmutzig macht. Mögen Sie solche Leute nicht?«

Card preßte die Lippen aufeinander und zerbrach seinen Bleistift in zwei gleich große Teile. »Nein«, antwortete er. »Aber das allein ist nicht strafbar. Ist es richtig, daß Sie mit Ihrem Großvater diverse Auseinandersetzungen hatten, was Ihren Lebensstil betrifft?«

Die Frage traf mich völlig unvorbereitet. Ich starrte ihn verdutzt an, dann begriff ich.

»Das stimmt«, sagte ich. »Allmählich beginne ich zu begreifen, Inspektor. Sie denken, ich hätte Mac –«.

»Mac?«

»Ich nannte ihn Mac. Das ist kürzer als McFaflathe-Throllinghwort-Simpson«, antwortete ich. »Sie denken also, ich hätte Mac ermordet, um in den Genuß des Erbes zu kommen, wie?«

Card antwortete nicht.

»Ein überzeugendes Motiv«, fuhr ich nach einer Weile fort. »Immerhin, mein Großvater war ein sehr vermögender Mann. Die Sache hat nur einen kleinen Kunstfehler, Inspektor.« Ich legte eine Pause ein, um die nächsten Worte gebührend genießen zu können. »Das Vermögen, dessentwegen ich meinen Großvater Ihrer Meinung nach ermordet haben soll, gehört mir schon längst.«

Card blinzelte.

»Sie haben richtig gehört, Inspektor«, fuhr ich fröhlich fort. »Das Haus, die Reederei, die Aktien, die Bankkonten, der Landsitz – alles gehört mir. Schon seit dem Tag meiner Geburt. Großvater war nur eine Art Verwalter, wenn Sie so wollen. Es gab überhaupt keinen Grund für mich, ihn zu ermorden. Im Gegenteil. Das wäre ziemlich dumm gewesen.«

Card schwieg eine ganze Weile, und ich konnte mir lebhaft vorstellen, wie es jetzt in seinem Inneren aussah.

»Ich werde das überprüfen lassen«, sagte er schließlich.

»Tun Sie das«, erwiderte ich ungerührt.

»Aber selbst wenn es stimmen sollte«, fuhr Card fort, »was beweist das? Es bleiben gewisse Fragen, auf die ich eine Antwort finden muß. Und das werde ich.« Er schüttelte rasch den Kopf, als ich etwas erwidern wollte, und seufzte hörbar. »Nein, sagen Sie es nicht, Sir. Ich weiß, daß Sie von nichts wissen und ein unschuldig Verfolgter sind. Wahrscheinlich ist alles nur eine einzige entsetzliche Verwechslung.« Seine Stimme troff plötzlich vor Hohn und Sarkasmus. »Was glauben Sie, wie viele unschuldig in Verdacht geratene ehrsame Bürger schon auf dem Stuhl gesessen haben, auf dem Sie jetzt sitzen?«

Nun hatte ich endgültig genug. »Wenn Sie mich irgendeiner Straftat verdächtigen, Inspektor«, sagte ich eisig, »dann reden Sie am besten mit meinem Anwalt weiter. Er wartet draußen.«

Card machte eine wegwerfende Geste. »Hören Sie mit Ihrem Rechtsverdreher auf, Sir.«

»Dr. Gray ist kein Rechtsverdreher!«

Card seufzte. »Schon gut.« Er beugte sich vor, stemmte die Hände vor sich auf den Tisch und sah mich durchdringend an. »Ich will nicht länger um den heißen Brei herumreden, Sir«, begann er nach einer sekundenlangen Pause mit deutlich veränderter Stimme. »Sir Roderick McFaflathe-Throllinghwort-Simpson ist nicht jemand, der einfach verschwinden kann, ohne daß es weiter auffiele. Einige – sagen wir – namhafte Persönlichkeiten Londons haben angefangen, sich Fragen zu stellen. Fragen über Sie.«

»Was wollen Sie damit sagen?« erkundigte ich mich scharf.

»Ich habe gewisse Hinweise bekommen«, sagte Card gelassen. »Jedenfalls werde ich ein Auge auf Sie behalten, verlassen Sie sich darauf.« Er lächelte, blickte einen Moment konzentriert aus dem Fenster, als gäbe es dort etwas ungemein Wichtiges zu sehen, und sah mich dann wieder starr an.

»Sie können gehen, Sir«, sagte er schließlich. »Aber ich darf Sie bitten, die Stadt nicht zu verlassen.«

Ich antwortete nicht gleich. Seine letzten Anspielungen

waren mir völlig unverständlich. Von wem in aller Welt konnte er »Hinweise« bekommen haben?

»Überlegen Sie es sich«, fuhr Card fort und stand auf. »Es hat keine Eile. Lassen Sie sich ein paar Tage Zeit, und wenn Sie glauben, daß es besser ist, kommen Sie zu mir und erzählen Sie mir die Wahrheit. Früher oder später finde ich sie ja doch heraus.«

Ich stand ebenfalls auf, starrte ihn einen Moment mit einer Mischung aus Zorn und Niedergeschlagenheit an und ging dann zur Tür, blieb aber noch einmal stehen und wandte mich zu ihm um.

»Diese ... Persönlichkeiten, von denen Sie gesprochen haben, Inspektor«, sagte ich, das Wort auf die gleiche eigenartige Weise betonend wie er zuvor, »– wer sind sie?«

Card schwieg, und nach ein paar weiteren Sekunden verließ ich endgültig das Büro und trat auf den Korridor hinaus.

Gray, der die ganze Zeit auf mich gewartet hatte, um sofort eingreifen zu können, falls ich in Schwierigkeiten geraten sollte, sprang von der unbequemen Holzbank auf und kam mir mit fragendem Gesicht entgegen. »Nun?«

»Er hat mir nahegelegt, die Stadt nicht zu verlassen, das ist alles«, sagte ich seufzend.

»Er hat – was?« rief Gray empört aus.

»Mich quasi unter Hausarrest gestellt«, antwortete ich. »Jedenfalls lief es darauf hinaus. Und ganz unrecht hat er mit seinem Mißtrauen ja tatsächlich nicht.«

Gray fegte meine Antwort mit einer wütenden Bewegung beiseite, trat an mir vorbei und streckte die Hand nach der Türklinke aus. »Warten Sie hier auf mich«, sagte er. »Ich kläre die Angelegenheit.«

125

Ich hielt ihn mit einem raschen Griff zurück. »Das hat doch keinen Sinn«, sagte ich. »Ich kann froh sein, daß Card mich nicht hier behalten hat.«

»Oh nein«, schnappte Gray. Seine grauen, von einem Netzwerk winziger Fältchen eingefaßten Augen blitzten. »Ich kenne Leute wie Card. Wenn er keinen Dämpfer bekommt, wird er Ihr Schweigen als Zeichen von Furcht auffassen und das nächste Mal einen Schritt weiter gehen. Warten Sie unten in der Halle auf mich. Es dauert nur einen Moment.« Ehe ich Gelegenheit hatte, etwas zu erwidern, drückte er die Klinke herunter und stürmte in Cards Büro, ohne sich die Mühe zu machen anzuklopfen.

Einen Moment lang blickte ich ihm kopfschüttelnd nach, dann wandte ich mich nach links und ging langsam den nur schwach erhellten Korridor zur Treppe hinab. Vermutlich hatte Gray recht – man mußte Typen wie Card auf die Finger klopfen, wenn man nicht Gefahr laufen wollte, daß sie anfingen, mit einem Katz und Maus zu spielen. Aber meine Fähigkeit, Konflikte auszutragen, war für heute erschöpft. Ich war müde, fühlte mich schwach, hatte Hunger und Durst, und in meinem Kopf drehte sich alles. Im Grunde wollte ich nur nach Hause. Ich beschloß, nicht auf Gray zu warten. Er würde das sicher verstehen.

Ich ging die Treppe hinunter, blieb einen Moment vor der geschlossenen Glastür stehen und trat dann in die hohe, nach vorne offene Säulenhalle hinaus. Obwohl es für die Jahreszeit kalt war, fühlte ich mich im Freien einfach wohler. Es war absurd – die Männer, die in dem wuchtigen Gebäude von Scotland Yard ihren Dienst versahen, und ich sollten eigentlich Verbündete sein. Aber im Augenblick waren sie meine Feinde.

Fröstelnd zog ich den Mantel enger um die Schultern zusammen, trat an den Straßenrand und winkte einer Taxe. Die ersten beiden Wagen rollten einfach vorbei, obgleich ich deutlich erkennen konnte, daß sie nicht besetzt waren, aber die Fahrer hatten wohl meinen zerfetzten Mantel und den blutigen, zerrissenen Anzug darunter gesehen und daraus und aus dem Anblick des Hauses, vor dem ich stand, einen zwar verständlichen, aber nichtsdestoweniger falschen Schluß gezogen. Erst der dritte Wagen hielt an, und der Fahrer fragte mich brummig nach der Adresse, zu der er mich bringen sollte. Als ich sie ihm nannte, fiel dem Mann vor Staunen die Kinnlade herunter, denn der noble Ashton Place war wohl das Letzte, was er erwartet hatte. Aber an diesem Tag vermochte ich mich nicht recht über seine Verblüffung zu amüsieren. Ich fühlte mich niedergeschlagen und mutlos wie selten zuvor in meinem Leben.

H. P. hatte sich meinen Bericht schweigend angehört, aber ich wartete vergebens darauf, daß er antwortete oder auch nur mit dem Verziehen einer Miene auf meine Worte reagierte. Er war ein wenig blaß, und in seinen Augen stand noch immer der gleiche besorgte Ausdruck wie am Morgen, wenngleich er sich inzwischen sichtlich etwas gefangen hatte. Er wirkte wie ein Mann, den das, was er hörte, nicht erschütterte, ganz einfach, weil er es erwartet hatte. Er saß im Arbeitszimmer auf einem Stuhl, der den Brand halbwegs unversehrt überstanden hatte, und seine Hand lag auf dem Ledereinband des Buches, in dem er gelesen hatte, als ich zurückkam. Es war einer der Bände aus der Bibliothek meines Großvaters. »Chaat Aquadingen« prangte

127

in dünnen, goldgeprägten Lettern auf dem Einband. Der Name sagte mir nichts, doch irgendwie berührte er mich unangenehm. Aber ich hatte kein Wort darüber verloren, weder darüber noch über den Umstand, daß er in meiner Abwesenheit ungefragt das Arbeitszimmer betreten hatte. Es glich ohnehin einem Wunder, daß das Buch den Brand überstanden hatte. Als ich heute morgen hier hereingekommen war, hatte ich schon befürchtet, von der unersetzlichen Sammlung nur noch verkohlte Fetzen retten zu können.

»Ich verstehe einfach nicht, was das alles bedeutet«, sagte ich – zum wahrscheinlich zehnten Mal, seit ich zurück war. »Dieser Card kann doch nicht im Ernst annehmen, daß ich meinen Großvater ermordet habe!«

»Offensichtlich tut er es aber«, murmelte H. P. Er sog an seiner Zigarre, sah sich suchend nach einem Aschenbecher um und benutzte schließlich den Fußboden, als er keinen fand. Nicht, daß das in diesem Zimmer noch etwas ausgemacht hätte. »Und ganz offensichtlich ist er nicht von selbst auf diese Idee gekommen«, fügte er hinzu.

Mein Gesichtsausdruck verdüsterte sich noch weiter. »Ja. Irgendwelche Persönlichkeiten scheinen großen Wert darauf zu legen, mich hinter Gittern zu sehen.«

H. P. blätterte gelangweilt im Chaat Aquadingen. Aus irgendeinem Grund machte mich das nervös, aber ich verbiß mir eine entsprechende Bemerkung. Wahrscheinlich war es eher dieses Zimmer, das mich unruhig machte. »Vielleicht kann Gray herausbekommen, wer dahintersteckt«, fuhr H. P. nach einer Weile fort. »Nicht, daß es etwas ändern würde. Zumal Card in einem Punkt recht hat. Was geschehen ist, war kein Unfall.« Seine Stimme klang seltsam flach und aus-

128

druckslos. »Die Polizei denkt, daß dein Großvater ermordet worden ist.«

»Ich weiß nicht, was die Polizei denkt«, warf ich ein.

»Aber Card denkt es.«

»Und er hat recht«, fuhr H. P. unbeirrt fort. »Es war Mord, Robert. Ein kaltblütiger, berechneter Mord.«

Seine Worte ließen mich schaudern. Ich hatte gewußt, daß es so war, aber es besteht ein Unterschied zwischen ausgesprochenem und unausgesprochenem Wissen.

»Aber wie kommt er darauf?« sagte ich hilflos. »Niemand war dabei. Verdammt, niemand würde mir diese Geschichte glauben, selbst wenn ich alles erzählte.«

»Ich glaube sie«, antwortete H. P. ruhig. »Und ich fürchte, ein paar andere Leute glauben sie auch. Was du mir erzählt hast, paßt hundertprozentig zu dem, was ich vermutet habe.« Sein Blick wurde hart, gleichzeitig erschien wieder dieser Ausdruck von Vorwurf darin, mit dem er mich schon die ganze Zeit gemustert hatte und den ich mir nicht erklären konnte.

»Ich habe noch einmal über alles nachgedacht, während du fort warst«, fuhr er fort. Er zündete sich umständlich eine neue Zigarre an und ließ dann die Hand mit einer erschöpften Bewegung auf den Einband des Chaat Aquadingen hinunterfallen. »Du hast mir alles erzählt?« vergewisserte er sich. »Du hast nichts vergessen, keine Kleinigkeit? Nichts weggelassen, auch wenn es dir noch so unwichtig erschien?«

»Bitte, H. P.«, sagte ich. »Kein neues Verhör. Das kann Card besser als du.«

Der Ausdruck von Sorge auf H. P.s Zügen verstärkte sich noch. Müde beugte er sich in seinem Sessel vor, klappte das Chaat auf und ließ die dünnen Pergamentblätter zwischen Daumen und Zeigefinger hindurchra-

129

scheln, als suche er eine bestimmte Stelle, schlug das
Buch dann aber mit einem Seufzer wieder zu und sog
an seiner Zigarre, bis die Spitze beinahe weiß glühte.
»Du bist hierher gekommen, um mir etwas zu erzählen,
heute morgen«, erinnerte ich ihn, als er keine Anstalten
machte, weiter zu sprechen.
Er schüttelte den Kopf. »Nein. Oder doch, ja – es ist ...
komplizierter, als du denkst.« Mit einer entschlossenen
Bewegung hob er das Buch hoch, trug es zum Regal zurück und ging zur Tür. »Laß uns hinuntergehen«, sagte
er. »Was ich dir zu sagen habe, dauert lange.«
Das war natürlich nicht der wahre Grund – in Wirklichkeit, das spürte ich ganz genau, fühlte er sich in diesem
verwüsteten Zimmer so unwohl wie ich. Der fast ängst-
liche Blick, mit dem er die Uhr streifte, als wir das Zimmer verließen, entging mir keineswegs.
Wir gingen in den Salon, wo Mary bereits einen kleinen Lunch aufgetragen hatte. Auf meine Bitte hin
brachte sie mir Kaffee und H. P. eine Kanne starken
schwarzen Tee, behandelte ihn aber weiterhin mit eisiger Zurückhaltung. Kein Wunder – immerhin war er
für sie ein Fremder, der sich praktisch in meinem Haus
eingenistet hatte. H. P. tat so, als bemerke er ihre
Feindseligkeit nicht, wartete aber, bis wir wieder allein
waren, ehe er endlich begann:
»Gestern abend, Robert, als du zu mir ins Westminster
gekommen bist, da hast du mich gefragt, wieso Rowlf
und ich uns plötzlich so sonderbar benehmen – erinnerst du dich?«
Ich nickte. Natürlich erinnerte ich mich. Es war allerdings nicht die einzige Frage gewesen, auf die er mir
nicht geantwortet hatte.
»Ich will es dir sagen«, fuhr er fort. »Wir mußten sicher

sein.«

»Sicher?«

»Daß du auch der bist, der du zu sein vorgibst.«

Ich starrte ihn an, und H. P. fuhr mit einer raschen, abwehrenden Bewegung fort.

»Es klingt absurd, ich weiß. Aber vor vier Tagen, als wir zu dir kamen, war die Situation ganz anders. Wir hatten dich aufgesucht, verstehst du?«

Ich nickte und sagte: »Nein.«

H. P. lächelte flüchtig. »Du warst zwar höflich genug, es nicht auszusprechen, Robert, aber du hast dich bestimmt gefragt, warum Rowlf und ich in einer solchen Kaschemme hausen.«

»Nun ja ...«

»Du hast«, behauptete H. P. überzeugt. »Und mit Recht. Aber ich will es dir erklären. Wir leben dort, weil es ein sicheres Versteck ist.«

»Ein Versteck? Vor wem?«

»Vor den gleichen Mächten, die auch deinen Großvater getötet haben – und jetzt hinter dir her sind, fürchte ich«, antwortete er. »Bisher waren wir dort sicher, aber nachdem wir uns einmal zu erkennen gegeben hatten, mußten wir damit rechnen, daß unsere Gegner ...«

»Ich verstehe«, unterbrach ich ihn. »Ihr hattet Angst, daß jemand bei euch auftauchen könnte, der nur so aussieht wie ich, es aber nicht ist.«

»So ungefähr«, bestätigte H. P. »Und so ganz grundlos war dieser Verdacht ja nicht, oder? Immerhin haben sie deine Spur weit genug verfolgt, um dir praktisch vor unserer Haustür auflauern zu können.«

»Aber jetzt bist du überzeugt, daß ich ich bin?« fragte ich. »Ich meine, du hast keine Angst, daß ich plötzlich zu Brei zerfließe und dich aufsabbere?« Der scherzhafte

131

Ton, in dem ich diese Worte hatte aussprechen wollen, mißlang gründlich. Und H. P. blieb auch vollkommen ernst.

»Wegen des Überfalles heute morgen?« Er schüttelte den Kopf. »Selbst das könnte eine Falle gewesen sein. Unsere Gegner sind nicht dumm, weißt du? Aber ich habe andere Mittel und Wege, die Wahrheit herauszubekommen. Nein, ich weiß jetzt, wer du bist. Und ich fürchte«, fügte er nach einer winzigen Pause hinzu, »ich weiß auch, was das alles hier zu bedeuten hat.«

»Warum sagst du es mir dann nicht endlich?«

H. P. blickte mich eine geraume Weile hindurch schweigend an, und etwas in seinem Blick ließ mich mit einemmal daran zweifeln, ob ich die Antwort wirklich hören wollte. Ich hatte das Gefühl, von einer eisigen, unsichtbaren Hand berührt zu werden. Ein kurzer, rascher Schmerz zuckte wie eine Nadel durch mein Herz.

»Cthulhu«, sagte H. P. schließlich. »Ja. Die Zeit seines Erwachens rückt heran. Aber das«, fügte er rasch hinzu, als er mein abermaliges Erschrecken bemerkte, »muß nichts bedeuten. Diese Wesen rechnen in anderen Zeiträumen als wir. Es kann durchaus noch hundert Jahre dauern, bis es soweit ist. Oder auch tausend.«

»Oder ein paar Tage«, sagte ich finster.

»Oder ein paar Tage«, bestätigte H. P. ungerührt. Er seufzte wieder, sog an seiner Zigarre und blies eine übelriechende Qualmwolke in meine Richtung. »Aber es gibt einen Weg, das herauszufinden. Wenn du uns hilfst.«

Ich unterdrückte nur mit Mühe ein schrilles Lachen. »Glaubst du nicht, daß das eine ziemlich überflüssige Frage ist?«

H. P. blieb ernst. »Es kann gefährlich werden, Junge.

Zumindest sehr unangenehm.«

»Ach?« sagte ich nur.

H. P. lächelte flüchtig über meinen Sarkasmus, beugte sich vor und nippte an seinem Tee, ehe er fortfuhr. »Es hat mit deinem Vater zu tun.«

»Robert Craven?«

Er nickte. »Ja. Ich habe dir erzählt, daß wir Freunde waren, aber das war nicht die ganze Geschichte.«

Auch das überraschte mich nicht besonders. Aber ich schwieg. Allmählich gewöhnte ich mich daran, die Wahrheit in homöopathischen Dosen zu erfahren.

»Ich kannte deinen Vater kaum fünf Jahre«, fuhr er fort. »Aber in diesen fünf Jahren haben wir eine Menge zusammen erlebt. Viel mehr, als ich dir jetzt erklären könnte. Dein Vater und ich nahmen den Kampf gegen Cthulhu und die Großen Alten auf, wie viele vor uns. Du weißt, daß sie ihn getötet haben?«

»Ja.«

»Aber du weißt nicht, wie.« Er seufzte. Ein Schatten huschte über sein Gesicht. »Es gab eine Frau«, sagte er. »Besser gesagt, ein Mädchen. Ihr Name war Priscilla. Dein Vater liebte sie. Er und ich sind um die halbe Welt gereist, um sie zu retten. Es ist eine lange Geschichte, aber sie gehört nicht hierher. Trotzdem ist es wichtig, daß du das weißt.«

Priscilla? Wo hatte ich den Namen bloß schon gehört? War das das Mädchen, das ich gesehen hatte?

»Ich will es kurz machen. Irgendwann einmal werde ich dir die ganze Geschichte erzählen, aber jetzt nur so viel: Dein Vater und ich fanden heraus, daß die Legende um die Großen Alten auf Wahrheit beruht. Und wir fanden noch mehr heraus. Damals, als die Großen Alten sich gegen die älteren Götter auflehnten, wurde dieser Pla-

133

net völlig verwüstet. Nur sehr wenige Lebensformen überstanden die Katastrophe. Aber selbst den Älteren Göttern war es nicht möglich, Cthulhu und die anderen Großen Alten zu vernichten. Sie kerkerten sie ein.«

Das alles wußte ich; ich hatte es im Necronomicon gelesen. Aber H. P. gebot mir mit einer raschen Geste, still zu sein, als ich ihn unterbrechen wollte.

»Sie verschlossen dieses Gefängnis, Robert. Mit einem magischen Siegel, das sie in sieben Teile zerbrachen, die über die ganze Welt verstreut wurden. So entstanden die SIEBEN SIEGEL DER MACHT. Seither gilt das ganze Trachten der Großen Alten und ihrer Diener dem Zweck, diese sieben Siegel wieder zusammenzufügen und somit den Kerker zu öffnen, in dem sie seit Millionen Jahren warten.« Er atmete hörbar ein, warf seine heruntergebrannte Zigarre in die Teetasse vor sich und zündete sich sofort eine neue an.

»Wir erfuhren damals, daß jene finsteren Mächte dabei waren, diese sieben Siegel aufzuspüren. Dein Vater und ich konnten es verhindern, auch wenn es nicht leicht war. Es gelang deinem Vater, sechs der sieben Siegel in seinen Besitz zu bringen und in dieses Haus zu schaffen. Das siebente Siegel wurde nie gefunden. Wir wähnten uns am Ziel, zumal es uns gleichzeitig gelang, auch Priscilla zu befreien und nach London mitzunehmen. Dein Vater und seine Frau starben in ihrer Hochzeitsnacht, Robert, wußtest du das?«

Nein, das wußte ich nicht. »Dann war Priscilla...«

»Nicht deine Mutter?« H. P. lächelte auf sehr sonderbare Weise. »Nein. Aber zurück zu jener Nacht, Robert. Wir... wissen bis heute nicht, was damals geschah, aber nach all der Zeit glaube ich, daß jemand versuchte, die SIEBEN SIEGEL DER MACHT zusammenzufügen,

134

hier in diesem Haus und in der Hochzeitsnacht deines Vaters. Ich war dabei, Robert – wenigstens beinahe. Ich saß in einer Kutsche dort draußen auf der Straße, auf der anderen Seite des Platzes, und ich sah, was geschah. Mir waren die Hände gebunden, so daß ich nicht eingreifen konnte, aber ich wurde Zeuge, wie...« Er stockte einen Moment, schien nach den richtigen Worten zu suchen. »Ich kann es nicht anders ausdrücken«, murmelte er schließlich. »Die Hölle brach auf. Ich... ich sah, wie das Siegel zusammengefügt wurde und die Großen Alten erwachten. Für den tausendsten Teil einer Sekunde... lebten sie.«

»Und... dann«, fragte ich, als er nicht weitersprach, sondern sichtlich um seine Fassung kämpfte. Sein Gesicht war grau vor Schrecken. Allein die Erinnerung, die er mit seinen Worten heraufbeschwor, schien beinahe über seine Kräfte zu gehen.

Er gab sich einen Ruck und sog wieder an seiner Zigarre. »Ich weiß es nicht«, gestand er. »Gray und Rowlf und ich, wir... wir haben immer und immer wieder überlegt, was geschehen sein könnte, aber wir wissen es einfach nicht. Wir wissen weder, wer das siebente Siegel in dieses Haus brachte, noch, was dann geschah.«

Aber ich wußte es. Plötzlich stand die bizarre Szene deutlich vor meinem inneren Auge. Priscilla, die mit haßverzerrtem Gesicht über dem Mann stand, der nur mein Vater sein konnte. Das Gewitter, ein tobender Weltuntergang, das am Haus rüttelte...

Ich schüttelte die Erinnerung ab und forderte H. P. mit einer Geste auf, weiterzusprechen.

»Unser Hiersein allein beweist, daß es deinem Vater gelang, das Zusammenfügen der Siegel im letzten Augen-

135

blick zu verhindern«, fuhr er mit mühsam beherrschter Stimme fort. »Wir wissen nicht, wie, aber er bezahlte dafür mit dem Leben. Das Feuer, das anschließend ausbrach, tötete ihn und Priscilla und verzehrte Andara-House bis auf die Grundmauern. Und die sechs Siegel waren verschwunden.«

»Und jetzt glaubst du, daß . . . daß das irgend etwas mit mir zu tun hat?« fragte ich.

H. P. schwieg wieder eine ganze Weile. »Nicht nur mit dir«, sagte er schließlich. »Alles war sehr sonderbar, damals. Niemand begriff, was wirklich geschehen war. Aber ich hatte einen Verdacht. Die Sterne, Robert.«

Ich sah ihn fragend an.

»Die Heimat der Älteren Götter ist ein Planet der roten Sonne Beteigeuze«, fuhr er erklärend fort. »Ebenso wie die der Großen Alten. Dieser Stern stand damals in einer ganz bestimmten Konstellation.«

»Und diese Konstellation wiederholt sich alle einhundert Jahre«, mutmaßte ich.

H. P. nickte sehr ernst. »Ja. Und dann ist da auch die Uhr, Robert. Die Uhr überstand den Brand unversehrt, und ich glaube jetzt zu wissen, warum.«

»So?«

»Dein Vater war kein normaler Mensch, vergiß das nicht. Er war ein Hexer, ein Mann mit großer magischer Macht, genau wie du, denn du bist sein Erbe. Ich glaube, daß er sie geschützt hat, irgendwie.«

»Aber warum?«

H. P. antwortete nicht sofort, und als er es tat, da spürte ich, daß er mehr wußte, als er zugab. »Ich habe nur eine Vermutung«, sagte er, »die wir erst überprüfen müssen.«

»Und wie?« erkundigte ich mich.

136

»Wir müssen herausfinden, was in jener Nacht wirklich geschah, Robert«, antwortete er. »Und was das alles hier bedeutet. Aber das können wir nur mit deiner Hilfe.«

»Mit meiner Hilfe?«

»Ich weiß nicht, ob es klappt«, antwortete H. P. »Aber wenn uns jemand helfen kann, dann bist du es. Ich...« Er stockte und sah mich fast verlegen an. »Ich möchte jemanden hierherbringen, heute abend«, sagte er schließlich. »Eine gute alte Freundin, wenn du so willst, Lady Audley McPhaerson – du hast sicher schon von ihr gehört.«

Das hatte ich nicht, aber ich nickte trotzdem, schon um Zeit zu sparen. »Und was soll deine Freundin hier?« fragte ich vorsichtig.

»Sie wird uns helfen«, antwortete H. P. »Lady McPhaerson ist ein Medium, Robert. Ich möchte in diesem Haus eine Séance abhalten.«

Eine Séance...

Ich muß gestehen, daß dieser Vorschlag dem Vertrauen, das ich H. P. bis dahin fast uneingeschränkt entgegengebracht hatte, einen gehörigen Knacks versetzte. Ich hatte keinen Moment daran gezweifelt, daß er mir in allem die Wahrheit sagte, ganz egal, wie phantastisch die Geschichte auch klingen mochte.

Aber eine Séance? Eine Geisterbeschwörung mit allem, was dazugehörte – Händehalten, Kerzenschein und Tischerücken? Das erschien mir schlichtweg lächerlich. Ganz vorsichtig ausgedrückt. Trotzdem widersprach ich nicht, sondern entließ ihn mit der Zusage, ihn und Lady Audley McPhaerson gegen zwölf zu erwarten.

Ich verbrachte den größten Teil des restlichen Tages damit, den versäumten Schlaf nachzuholen – allerdings

137

auf der Couch im Salon, da ich mich nicht in mein Zimmer hinaufgewagt hatte. Als ich erwachte – genauer gesagt, von Mary geweckt wurde –, war es neun Uhr vorbei, und sie verkündete mit reichlich beleidigtem Gesichtsausdruck, daß mein Essen im Speisezimmer am Tisch stünde und sie jetzt gehen würde, da sie – wie ich doch wisse – heute abend frei habe und bei ihrer Schwester übernachte. Ich bedankte mich artig und war im stillen froh, daß sie sich nicht mit den Worten verabschiedete, mein Essen stehe im Kochbuch auf Seite sowieso – verärgert genug dazu war sie. Verständlicherweise, wie ich zugeben mußte, denn was in den letzten Tagen in ihren heiligen Hallen vorging, das überstieg alles, was sie von mir an Verrücktheiten gewohnt war. Ich würde mit ihr reden müssen, in den nächsten Tagen. Ich wollte sie nicht verlieren.

Für heute aber war ich froh, allein zu sein und keine weiteren Fragen beantworten zu müssen. Das heißt – einerseits war ich froh, in Ruhe gelassen zu werden. Andererseits aber machte mir die Vorstellung Angst, allein in diesem Haus mit seinen bedrohlichen Schatten und unheimlichen Geräuschen zu sein. Als ich Mary in den Mantel half, war ich für einen kurzen Moment nahe daran, sie zu bitten, hierzubleiben und mir wenigstens beim Essen noch Gesellschaft zu leisten, was sie zweifellos getan hätte. Aber dann dachte ich daran, daß sie ein wenig Entspannung wohl auch bitter nötig hatte und beherrschte mich.

Aber ich ertappte mich dabei, jedes nur erreichbare Licht anzuknipsen, als ich mir mein Essen aus dem ungemütlichen Speisezimmer in den Salon holte. Außerdem schaltete ich den Fernseher ein, drehte den Ton herunter und legte eine Kassette in den Recorder.

Lärm und Licht und bunte Bilder erfüllten mit einemmal den Raum, und so absurd es klingt, dieses Spektakel schien wirklich zu helfen, die Furcht, die aus den Schatten hervorkriechen wollte, zu bannen. Im Grunde – und dessen war ich mir vollkommen bewußt – benahm ich mich nicht anders als ein ängstliches Kind, das in den Keller gehen muß und dabei lauthals pfeift. Aber warum auch nicht?

Trotzdem schien die Zeit nicht zu vergehen. Ich bestach Merlin mit dem Großteil des Bratens, der eigentlich für mich bestimmt war, mir Gesellschaft zu leisten, aber es war nicht einmal zehn, als alle Teller und Platten restlos geleert waren und der undankbare Kater sich in die Küche trollte, um über seinen Futtertrog herzufallen, dessen Inhalt er sich natürlich aufgespart hatte. Noch zwei Stunden, bis H. P. kam. Dieses Haus, das ich bisher als mein Heim angesehen hatte, flößte mir neuerdings panische Angst ein.

Nur um mich auf andere Gedanken zu bringen, nahm ich ein Buch vom Regal und begann zu lesen, klappte es aber wieder zu, als ich merkte, daß ich zum fünften Male die gleiche Seite las, ohne zu wissen, was darauf stand. Wo blieb H. P.?

Mein Blick irrte zu der kleinen Digitaluhr, die in den Fernseher eingebaut war. Und ich erstarrte.

Das Bild hatte gewechselt. Es zeigte jetzt nicht mehr den Nachrichtensprecher oder irgendeinen dummen Spielfilm, sondern – ja, was eigentlich?

Es war eine Art Landschaft: eine gewaltige, finstere Ebene, in deren Mitte ein runder See glänzte, der aber kein Wasser, sondern etwas wie geschmolzenes Pech zu beinhalten schien. Weit am Horizont waren die Silhouetten gewaltiger, scharfzackiger Berge zu erkennen,

139

und am Ufer des Teersees suhlten sich unsagbar gräßliche Kreaturen.

Ich schauderte. Was war das? Ein besonders geschmackloser Horrorfilm?

Das Bild war schwarz-weiß, was aber einfach daran lag, daß es in dieser finsteren Welt keine anderen Farben gab als Schwarz und Weiß und alle nur möglichen Grauschattierungen, und es war nicht flach, sondern eindeutig dreidimensional. Eine grause Ahnung stieg in mir auf: Dies war kein Fim, keine Fernsehübertragung. Mein Fernseher war zu einem Fenster geworden, durch das ich einen Blick in eine fürchterliche Alptraumwelt warf. Laute drangen an mein Ohr, wie sie kein Mensch je vernommen hatte. Ein eisiger, übelriechender Hauch erfüllte das Zimmer. Der Sessel, auf dem ich saß, schien ganz sacht zu vibrieren.

Und dann begann eines der scheußlichen Lebewesen am Seeufer auf mich zuzukriechen. Die Bewegung wirkte langsam, doch dieser Eindruck entstand bloß dadurch, daß der See so weit entfernt war. In Wirklichkeit war die Kreatur rasend schnell, und sie mußte wahrhaft gigantisch sein.

Mit zitternden Fingern tastete ich nach der Fernbedienung, richtete sie auf den Fernseher, zögerte einen Moment – und drückte den OUT-Knopf.

Das Wunder geschah. Der Fernseher erlosch. Die chthonische Landschaft verschwand, und mit ihr der Geruch und die unheimlichen Laute.

Verwirrt saß ich da, starrte die grau gewordene Mattscheibe an und fragte mich, was das gewesen sein mochte – eine neuerliche Halluzination? Dafür war es beinahe zu realistisch gewesen. Aber was war es dann?

Ich stand auf, trat an die Bar – wobei ich einen gewalti-

140

gen Bogen um den Fernsehapparat schlug – und schenkte mir einen dreistöckigen Cognac ein. Der Alkohol brannte in meiner Kehle, und eine Sekunde später schien mein Magen lautlos zu explodieren, aber die beruhigende Wirkung, die ich mir erhofft hatte, blieb aus. Im Gegenteil. Meine Hände zitterten nur noch stärker. Ich sah auf die Uhr. Halb elf. Noch über eine Stunde, bis H. P. und Lady Audley McPhaerson kamen. Nein, ich mußte mich beherrschen. Wenn ich mich weiter so gehenließ, würden sie mich als sabbernden Idioten vorfinden.

Draußen in der Halle polterte etwas. Ich fuhr zusammen, unterdrückte im letzten Augenblick einen Schrei und starrte zur Tür. Eine Sekunde später wiederholte sich das Poltern, dann hörte ich Merlins ärgerliches Fauchen.

Ich atmete erleichtert auf. Natürlich – das war der Kater gewesen. Merlin war berüchtigt dafür, ein Zimmer, das die Mädchen drei Stunden lang mühsam aufgeräumt hatten, innerhalb von drei Minuten wieder verwüsten zu können. Ich ging zur Tür, öffnete sie, und sah mich nach dem Kater um.

Ich entdeckte ihn nicht, aber dafür fiel mir auf, daß die Lampe am oberen Ende der Treppe ausgefallen war. Schwarze Schatten hatten die obersten drei Stufen verschlungen. Und aus diesen Schatten heraus starrten mich zwei winzige, rotglühende Augen an!

Und nicht zum ersten Mal an diesem Tag hatte ich das Gefühl, mein Herz würde aussetzen. Ich taumelte zurück, prallte gegen den Türrahmen – und schimpfte mich im nächsten Moment in Gedanken einen Volltrottel.

Natürlich waren es rote Augen. Schließlich war Merlin

141

ein Albinokater. Ich atmete hörbar auf und machte einen Schritt auf die Treppe zu. »Jetzt hör auf, mich zu Tode zu erschrecken, und komm herunter!« rief ich barsch. »Aber ein bißchen plötzlich!«

Die roten Augen starrten mich weiter an, und für einen Moment hatte ich das Gefühl, daß sich die Schatten bewegten – aber Merlin rührte sich nicht von der Stelle. Ich sah ein, daß ich mit Strenge wenig erreichen würde; so etwas hatte Merlin noch nie besonders beeindruckt. Seufzend ging ich ein wenig in die Hocke, streckte die Hand aus und schlug eine andere Taktik ein. »Komm, Miez«, lockte ich. »Komm zu Herrchen. Ich habe feine Milch für dich. Ko-omm, Miezi-Miezi-Miez.«

Miaaaaaauuuu, antwortete Merlin.

Hinter mir.

Mein Lächeln gefror zur Grimasse. Die roten Augen oben auf der Treppe starrten mich weiter an, aber gleichzeitig hörte ich ein zweites, hoffnungsvolles *Miaauu* hinter mir, und dann berührte Merlins flauschweicher, grüßend aufgestellter Schwanz sanft wie eine Feder meine ausgestreckte Hand.

Ich schrie auf, sprang wie von der Tarantel gestochen in die Höhe und war mit einem einzigen Satz wieder im Salon.

Als es eine Stunde später an der Haustür läutete, war ich tausend Tode gestorben. Ich hatte die Tür verriegelt und zusätzlich noch ein schweres Sofa davorgeschoben, und nicht einmal Merlins erbarmungswürdiges Maunzen und Kratzen hatten mich dazu bewegen können, sie auch nur einen Millimeter weit zu öffnen. Dabei spürte ich instinktiv, daß das Wesen dort oben auf der Treppe nicht herunterkommen würde. Ohne einen bestimmten Grund dafür angeben zu können, wußte ich einfach, daß sein Dasein – noch – keine Gefahr bedeutete. Es war nur eine Warnung.

Was nichts daran änderte, daß ich vor Angst beinahe verging. H. P. mußte dreimal läuten, ehe ich den Mut aufbrachte, das Sofa zur Seite zu schieben und zur Tür zu gehen. Die Schatten am oberen Ende der Treppe waren verschwunden, aber ich hatte immer noch das Gefühl, angestarrt zu werden.

Mein Gesicht muß wohl kreidebleich gewesen sein, als ich die Haustür öffnete, denn H. P. hielt sich gar nicht erst mit einer Begrüßung auf, sondern starrte mich alarmiert an und fragte: »Was ist denn los?«

»Nichts«, antwortete ich ausweichend und versuchte zu lächeln. »Ich bin nur ein bißchen müde. Ich habe nicht viel Schlaf gekriegt, heute.«

»Das ist gut«, flötete eine Stimme hinter ihm. »Ich meine, es tut mir natürlich leid für Sie, aber Müdigkeit hilft einem, die Barrieren zum Unterbewußtsein schneller zu durchbrechen, wissen Sie?«

Ich sah überrascht an H. P. vorbei und entdeckte drei weitere Besucher, die hinter ihm an die Haustür getreten waren: Rowlf, Dr. Gray – und eine massige Gestalt in einem grauen Cape und mit dem gewaltigsten Hut, den ich jemals erblickt hatte. Das mußte Lady Audley McPhaerson sein.

H. P. lächelte entschuldigend, und ich trat endlich zur Seite, um meine Gäste einzulassen.

Ich besah mir H. P.s Medium etwas genauer, während sie sich aus ihrem Cape schälte. Lady Audley McPhaerson sah nicht einmal unattraktiv aus – soweit eine grauhaarige, etwas zu kurzbeinig geratene Matrone, deren Körpergewicht sich eher dem zweiten als dem ersten Zentner zuneigte und die ihrem sechzigsten Geburtstag

143

näher war als dem fünfzigsten, attraktiv auszusehen vermag. Aber das Kleid, das sie trug, sah teuer aus und das Saphirkollier um ihren Hals mußte ungefähr dem Gegenwert einer mittleren englischen Ortschaft entsprechen. Ihre Stimme übertönte den Lärm der Stereoanlage, die immer noch im Salon spielte, mit Leichtigkeit.

»Robert!« sagte sie, nachdem sie abgelegt und sich wieder zu mir umgewandt hatte. »Sie müssen Robert sein. H. P. hat mir schon eine Menge von Ihnen erzählt. Aber ich muß gestehen, er hat eher untertrieben.«

Sie drückte mich kurz und heftig an sich, als wären wir gute alte Bekannte, trat einen Schritt zurück und musterte mich von Kopf bis Fuß. Ihre kleinen Äuglein funkelten. »Sie werden uns also das Vergnügen bereiten, an einer kleinen Séance teilzunehmen?« fragte sie.

Ich rang mich zu einem Lächeln durch, verbeugte mich und sagte: »Dazu . . . sind wir hier, Mylady.«

»Oh, wie entzückend!« sagte Lady Audley. »Der junge Mann hat ja sogar Manieren – eine Seltenheit heutzutage. Damit ist ein angenehmer Verlauf des heutigen Abends ja gesichert.« Sie klatschte in die Hände und sah sich mit unverhohlener Bewunderung um. »Und dieses Haus. Das ist ja ein Traum. Nein, wie entzükkend!«

Auch ich sah mich rasch in der Halle um. Aber mein Blick galt eher dem schwarzen Schatten am oberen Ende der Treppe.

Plötzlich fiel mir auf, daß H. P. meinem Blick aufmerksam folgte. Ich lächelte verlegen, ging ein wenig zu hastig in den Salon und schob dabei die Couch an ihren Platz zurück. H. P. sah mir stirnrunzelnd zu. »Hast du umgeräumt?« fragte er.

144

Ich antwortete gar nicht, sondern deutete auf die Bar. »Darf ich Ihnen eine Erfrischung anbieten, Lady Audley?« fragte ich.

Sie nickte begeistert. »Wenn Sie vielleicht einen Schluck Sherry für mich hätten?«

Ich reichte Lady Audley ein Glas Sherry und bemerkte, daß H. P. mich schon wieder reichlich mißbilligend ansah.

»Was hast du?« fragte ich.

H. P. deutete anklagend auf die Stereoanlage. »Was ist das?«

Ich begriff. »Ist dir die Musik zu laut?« fragte ich, während ich bereits zum Regal ging, um die Lautstärke ein wenig zu dämpfen.

»Musik?« wiederholte H. P. »So etwas nennt man heutzutage Musik?«

Ich zog es vor, nicht darauf zu antworten – es war KEEL, eine amerikanische Hard-Rock-Gruppe, die meiner Meinung nach sogar noch ziemlich zahm war. Immerhin brachte es der Leadsänger ab und zu sogar fertig, den Ton zu halten. Aber ich ließ mich auf keine Debatte ein, sondern schaltete den Verstärker kurzerhand ab.

H. P. nickte dankbar.

»Ich habe... schon alles vorbereitet«, sagte ich und deutete auf den kleinen Spieltisch, den ich in die Mitte des Salons gerückt hatte, und auf dem große, vielarmige Kerzenleuchter standen.

»Wie entzückend.« Lady Audley nippte an ihrem Glas und lächelte mir kokett zu. »Das wäre zwar nicht nötig gewesen, aber man sieht, daß Sie mit dem nötigen Ernst an die Sache herangehen, mein Junge.« Lady Audley blinzelte, nickte mir noch einmal zu und gesellte sich

145

dann zu Gray und Rowlf, die bereits an dem Tischchen Platz genommen hatten. »Entzückend«, sagte ich kopfschüttelnd; allerdings auch so leise, daß Lady Audley es nicht hören konnte. »Wer ist sie?«

»Lady Audley?« H. P. zuckte die Achseln, als wüßte er die Antwort nicht. »Ein... Original, würdest du wohl sagen. Der letzte Sproß irgendeines aussterbenden Adelsgeschlechtes, glaube ich. Ein bißchen verrückt, aber sehr nett. Und eines der wenigen echten Medien, die ich kenne.«

Seufzend folgte ich Lady Audley. H. P. und ich nahmen nebeneinander auf den beiden letzten freigebliebenen Stühlen Platz. Lady Audley stand nochmals auf, trug die beiden Kandelaber, die ich so liebevoll hergerichtet hatte, zur Seite und schaltete die elektrische Deckenbeleuchtung aus. Schließlich zündete sie nur eine einzige, flackernde Kerze an, die den Tisch in eine Insel gelblicher Helligkeit tauchte und alles, was hinter unserem Rücken lag, zu schemenhaften Schatten verblassen ließ. Wir warteten, bis Lady Audley wieder Platz genommen hatte und mit einem leisen Nicken das Zeichen zum Anfangen gab. Schweigend ergriffen wir uns bei den Händen und bildeten so einen großen, allseits geschlossenen Kreis. Ich begann mir immer alberner vorzukommen, aber sowohl auf H. P.s als auch auf Grays Gesicht lag mit einemmal ein sehr ernster Ausdruck.

Nach einer Weile begann Lady Audley, die augenscheinlich mit größter Begeisterung bei der Sache war, leicht mit dem Oberkörper hin und her zu schwingen und leise, summende Töne auszustoßen, und kurz darauf fielen auch H. P. und Gray darin ein. Das Ganze kam mir immer mehr wie ein närrischer Firlefanz vor. Trotzdem – ich merkte, wie eine kribbelnde Stimmung lustvollen Grauens auch von mir Besitz ergriff – und dann war es mit einemmal viel mehr als das.

Bisher war diese Séance nichts als ein harmloser Spaß gewesen, aber plötzlich spürte ich die Anwesenheit von etwas Fremdem unter uns.

Ich hatte Mühe, nicht zusammenzuschrecken und den Kreis zu unterbrechen. Rasch wandte ich den Blick und sah H. P. an.

Auch der Ausdruck auf seinen Zügen hatte sich verändert. Die mühsame Konzentration in seinen Augen war verschwunden und hatte einem Ausdruck ungläubigen Staunens – gepaart mit einer ganze leisen Spur von Furcht – Platz gemacht.

Ich sah wieder Lady Audley an. Sie hatte aufgehört, sich hin und her zu wiegen und zu summen. Trotz des schwachen Lichtes konnte ich erkennen, daß ihr Gesicht alle Farbe verloren hatte. Ihre Wangenmuskeln waren gespannt, so fest, als presse sie die Kiefer mit aller Macht aufeinander, und auf ihrer Stirn glitzerte feiner Schweiß.

Plötzlich begannen ihre Lippen zu beben. Ein röchelnder, unheimlicher Ton entrang sich ihrer Brust.

»Iä – N'ghy n'ghya«, keuchte sie. *»Näthägn oa Shub-Niggurath, näfthfath whaggha nagll.«*

H. P. fuhr wie unter einem Peitschenhieb zusammen und sprang auf, so heftig, daß sein Stuhl umkippte und rücklings auf den Boden schlug.

Gray, der direkt neben Lady Audley saß, schrie gellend auf, prallte zurück und riß seine Hand aus der Lady Audleys, und auch Rowlf fuhr mit einem überraschten Keuchen hoch.

Aber es waren nicht die fürchterlichen, unmenschlichen Laute, die den Kreis auf so abrupte Weise ge-

147

sprengt hatten!

Im gleichen Moment, in dem Lady Audleys Lippen begonnen hatten, jene krausen Lautballungen zu bilden, hatte sich das Licht verändert. Der gelbliche Schein flackerte, war plötzlich von etwas Grünem, Ungreifbarem durchdrungen, und von einer Sekunde auf die andere erfüllte ein geradezu bestialischer Gestank den Raum.

Lady Audley begann zu wimmern. Ihre Lider flogen mit einem Ruck auf, aber der Blick ihrer Augen war trüb vor Entsetzen; sie sah nicht uns, sondern schien etwas unsagbar Schreckliches zu erblicken.

»Robert!« wimmerte sie. »Robert!« Und dann, noch einmal und so gellend und spitz, daß der Schrei mir schier das Blut in den Adern gerinnen ließ: *»Robert!«* Die fürchterliche Grünfärbung des Lichtes vertiefte sich, und plötzlich tanzte etwas Bleiches, Formloses wie transparenter Nebel in der Mitte der Tischplatte.

Plötzlich wurde es kalt im Zimmer, schneidend kalt, und ein moderiger Luftzug streifte mich, wie der Hauch aus einem Grab.

Da ballte sich der Nebel zusammen, wuchs in Augenblicken zu einer zwei Meter hohen, leuchtenden Säule aus wirbelndem Weiß und reiner Bewegung – und formte sich zu einer menschlichen Gestalt!

»Robert!« brüllte Lady Audley. Ihre Stimme brach, schnappte über und wurde zu einem hellen, fürchterlichen Kreischen. Ihre Augen schienen vor Entsetzen fast aus den Höhlen zu quellen, während sie auf die flackernde, halbdurchsichtige Gestalt starrte, zu der sich die Ektoplasmawolke geformt hatte.

Dann geschah etwas Furchtbares. Es ging unglaublich schnell, so rasch wie das Senken und Heben eines Augenlides, und außer H. P. und mir erkannte wohl niemand seine wahre Bedeutung: Aus der Tischplatte unter der weißen Lichtgestalt zuckte ein peitschender, schleimig-schwarzer Arm wie eine glitzernde Schlange empor, drang durch den Nebelkörper und riß ihn mit einer unglaublich harten Bewegung auseinander, so rasch und plötzlich, wie eine Sturmböe den Morgennebel zerreißt. Für den Bruchteil einer Sekunde glaubte ich einen Schrei zu hören, einen Schrei so voller Entsetzen und Furcht, wie ich ihn nie zuvor in meinem Leben vernommen hatte. Dann war es vorbei. Der Nebelkörper und der grausame, schwarze Arm waren verschwunden und auch das Licht war wieder normal.

Lady Audley kreischte noch einmal und schlug die Hände vor die Augen.

Und im gleichen Moment spürte ich, wie etwas aus dem Nichts nach mir griff und mein Bewußtsein auslöschte wie ein Windstoß eine Kerzenflamme. Ein schwarzer Schlund aus wirbelnden Bildern tat sich vor meinen Augen auf und riß mich in eine bodenlose Tiefe hinab...

Es war nicht so, wie ich es mir vorgestellt hatte. Ganz und gar nicht.

Ich war Priscilla nach oben gefolgt, und wir hatten getan, was Frischvermählte in ihrer Hochzeitsnacht zu tun pflegen. Aber irgend etwas lief ganz falsch, von der ersten Sekunde an.

Oh, Priscilla verhielt sich ganz so, wie es ein frischgebackener Ehemann von seiner jungen Frau erhoffen mochte, doch gleichzeitig strahlte sie eine Kälte aus, die mir völlig unerklärlich war und die unser erstes Beisammensein zu einer Pflichtübung werden ließ, die

149

mich beinahe anwiderte. Und als es vorbei war, sah
mich Priscilla nur kalt und trotzdem sonderbar zufrie-
dengestellt an und drehte sich wortlos auf die Seite.
Es war keine Zufriedenheit sexueller Art, die ich in
ihren Augen las. Es war die Zufriedenheit eines Raub-
tieres, das nach langer Jagd endlich seine Beute bekommen hatte, nein, schlimmer, die Zufriedenheit einer
Spinne, die die Fliege in ihrem Netz betrachtet.
Was waren das für Gedanken?
Verwirrt stand ich auf und ging hinüber in die Bibliothek. Ich wollte einen Brief schreiben, alles einem
Freund erzählen, auch um mir selber klarer zu werden,
was geschehen war.
Ich hatte erst wenige Zeilen geschrieben, als die Uhr
hinter mir zu schlagen begann. Ein tiefer, schwermüti-
ger Gong hallte durch den Raum, berührte irgend etwas
in mir und brachte es zum Erzittern. Ich blickte hoch,
sah, daß sich die beiden Zeiger auf der Zwölf getroffen
hatten, und stand vom Schreibtisch auf, ehe der zweite
Schlag ertönte.
Mitternacht.
Mit dem dritten Gong trat ich ans Fenster und zog die
Gardine zur Seite.
Der Platz lag schwarz und still wie ein See aus ge-
schmolzenem Pech da. Die Lichter Londons schienen
unendlich weit fort, nicht realer als die Sterne, die Millionen Meilen über mir am Himmel blinkten.
Der vierte Schlag. Er schien noch düsterer zu klingen
als die drei davor. Mitternacht...
Was war so bedeutsam an diesem Augenblick? Irgend
etwas war da, etwas unglaublich Wichtiges, das ich ver-
gessen hatte.
Der fünfte Gong, dumpf, lang nachhallend und so un-

150

heilschwanger, daß ich mich unwillkürlich umwandte und die Uhr ansah. Aber natürlich war nichts Außergewöhnliches an ihr zu entdecken.

Und schon gar nichts Bedrohliches.

Der sechste Gong.

Ich blickte wieder aus dem Fenster. Irgend etwas geschah dort draußen, aber ich vermochte nicht zu sagen, was. Eine immer stärker werdende Unruhe hatte mich ergriffen.

Mit dem siebenten Gong begannen sich Wolken über mir am Himmel zusammenzuziehen, schwere, finstere Wolken, die wie brodelnder schwarzer Nebel aus dem Nichts kamen und sich rasend schnell ausbreiteten; ein schwarzer Tintenfleck, der das Firmament auffraß.

Der achte Schlag. Die Hälfte des Himmels war verschwunden. Regen klatschte gegen die Fensterscheiben, und ich hörte den Wind, der wie das Heulen unheimlicher gigantischer Sturmwölfe anmutete. Was war das? dachte ich entsetzt. Noch nie hatte ich erlebt, daß ein Unwetter so schnell heraufgezogen war.

Die Uhr schlug zum neunten Mal.

Mitternacht. Priscilla hatte von Mitternacht gesprochen. Warum? Was war es, was ich übersehen hatte?

Als die Uhr zum zehnten Mal schlug, hatten sich Wolken und Regen zu einem Sturm zusammengeballt, der an den Fenstern rüttelte. Blitze zuckten.

Mitternacht. Was geschah um Mitternacht?

Der elfte Schlag. Der vorletzte.

Der Boden bebte. Blitz auf Blitz zuckte vom Himmel. Hagelkörner mischten sich in den Regen. Ein Orkan tobte. Das ganze Haus zitterte, ächzte wie ein waidwundes Tier unter dem Ansturm der Windböen.

Hinter mir erscholl ein ungeheuer dumpfer, dröhnen-

151

der Gong.

Die Uhr schlug Mitternacht.

Und auf einmal war die Dunkelheit draußen so vollkommen, als hätte sich eine Glocke aus schwarzem Stahl über die Stadt gestülpt.

Hinter den Fenstern war nichts mehr. Der Garten, die Mauer, der Platz, die Stadt waren verschwunden. Fort, als hätte es sie nie gegeben. Der Sturm heulte und tobte weiter um das Haus, und ich spürte die gewaltige Kraft, die das Gebäude erzittern ließ, spürte das heiße elektrische Zischen der Blitze und hörte das Dröhnen und Bersten, mit dem sie einschlugen, nicht sehr weit entfernt, aber ich sah nichts.

Da fiel mein Blick auf die Uhr und ich erstarrte: Ihre Zeiger rotierten wie wild, die Zifferblätter glühten.

Und ich wußte, was das Unwetter bedeutete. Ganz plötzlich wußte ich es. Mitternacht. Priscillas Worte. Das Beben. Der Sturm. Die Finsternis. Ich hatte es gewußt, noch ehe die Uhr zum zweiten Mal schlug, doch ich hatte es nicht wahrhaben wollen und ich sperrte mich auch jetzt noch dagegen.

Endlos stand ich so erstarrt da, gelähmt vor Entsetzen und Grauen und unfähig, den Blick von den rotierenden Zeigern der Uhr zu wenden.

Dann hörte ich die Schritte.

Sie waren leise. Nicht wie die eines Menschen, der sich bemühte zu schleichen, sondern so, als kämen sie von weit, unendlich weit her. Es war ein schreckliches, platschendes Geräusch, wie von etwas Großem, unmenschlich Massigem, das sich den Flur entlang bewegte.

Außer mir und Priscilla war doch niemand im Haus!

Langsam, wie unter Zwang und fast gegen meinen Willen, ging ich zur Tür und trat hinaus.

Es war Priscilla.

Sie hatte die Treppe erreicht, die sie nun langsam, ohne Hast, hoch aufgerichtet und mit starrem Blick hinabzusteigen begann. Ja, es war Priscilla, aber ihr Schatten war nicht der eines Menschen, und ihre Schritte erzeugten dieses entsetzliche feuchte Schlurfen, und wo sie entlangging, blieben dunkelbraune Flecken auf dem Teppich zurück.

Wie betäubt folgte ich ihr. Hinter meinem Rücken tobte der unsichtbare Höllensturm, und unter meinen Füßen bebte die Erde. Ein tiefes, unsäglich qualvolles Stöhnen lief durch die Wände des Hauses.

Priscilla erreichte das Erdgeschoß, wandte sich nach rechts und blieb stehen.

Mein Herz machte einen entsetzlichen Sprung, als sie sich zu mir herumdrehte und mich ansah. Ihre Augen waren ... oh Gott!

Es war, als versuchte ich eine Springflut mit bloßen Händen aufzuhalten. Das war nicht mehr Priscilla. Das war nicht einmal mehr ein Mensch. Vor mir stand – ein fremdes Wesen, uralt, böse und von ungeheurer Kraft.

»Priscilla«, wimmerte ich. »Bitte. Du ...«

Priscilla lachte. Es war ein Laut, wie ich ihn nie zuvor gehört hatte. »Komm, Liebling«, kicherte sie. »Wehr dich nicht. Es ist soweit.«

Und ich gehorchte. Meine Arme und Beine bewegten sich ohne mein Zutun. Wie eine Puppe folgte ich ihr in den Salon.

Es war kein Verdacht mehr gewesen, sondern Gewißheit, und trotzdem schrie ich wie unter Schmerzen auf, als ich sah, wie Priscilla direkt zu dem Wandsafe trat, in dem sich sechs der SIEBEN SIEGEL DER MACHT befanden.

153

Priscilla blickte die Drehknöpfe einen Moment lang irritiert an, und machte sich dann an den Zahlenschlössern zu schaffen. Dabei stieß sie ein einzelnes Wort aus, nein, kein Wort, mehr einen kehligen, unglaublich düster klingenden Laut, der etwas in mir sich wie unter Schmerzen krümmen ließ. Überdeutlich spürte ich die Anwesenheit einer fremdartigen, ungeheuer bösen Macht, die durch ihren Ruf herbeigelockt worden war. Obwohl sie nur leise gesprochen hatte, schien der düstere Laut von den Wänden widerzuhallen und bei jedem Echo noch an Kraft zu gewinnen.

Ich durfte nicht länger zögern. Ich wußte plötzlich, daß Priscilla den Safe öffnen konnte, auch wenn sie die Kombination nicht kannte. Gott, welchen Schutz bot ein Safe gegen ein Wesen ihrer Art!

»Priscilla«, stöhnte ich. »Nicht!«

Priscilla fuhr blitzartig herum.

Ein eisiger Splitter schien in mein Herz zu fahren.

Wahnsinn und grenzenloser, unmenschlicher Haß hatten ihr Gesicht verzerrt. Ihr Mund war weit aufgerissen; Schaum stand vor ihren Lippen. Ihre schwarzen Augen glitzerten wie im Fieberwahn.

Ohne auch nur auszuholen, versetzte sie mir mit der Hand einen Schlag, der mich quer durch den Raum gegen die Wand schleuderte.

Halb bewußtlos sank ich zu Boden.

Ein greller Schmerz fuhr durch mein Rückgrat, raste durch meinen Körper und explodierte in meinem Nakken. Alles verschwamm vor meinen Augen, ein blutiger Nebel senkte sich über mein Bewußtsein. Der unvorstellbare Schmerz lähmte mich, selbst meine Stimmbänder verweigerten mir den Dienst, als ich schreien wollte. Aber irgendwo in einem verborgenen Winkel

meines Gehirns regte sich Widerstand, ein letztes Aufbegehren meines Verstandes, das mich zwang, gegen
die beginnende Ohnmacht anzukämpfen. Ich durfte
nicht aufgeben. Ich mußte... am Leben bleiben. Aufstehen. Kämpfen.
Mühsam hob ich den Kopf und versuchte die Benom-
menheit fortzublinzeln. Die Schleier vor meinen Augen
lichteten sich ein wenig, gerade so viel, daß ich meine
Umgebung wieder schemenhaft erkennen konnte.
Priscilla kümmerte sich nicht weiter um mich. Sie hatte
sich wieder umgedreht, so daß ich ihr entstelltes Gesicht nicht sehen konnte. Ihre Hände lagen auf dem
Tresor. Ich sah, wie ein fast unmerklicher Ruck durch
ihren Körper ging. Sie ließ die Hände herabsinken, riß
sie dann in einer blitzartigen Bewegung wieder hoch –
und stieß sie durch die Tür des Safes!
Der handbreite Stahl der Safetür wurde geradezu aus-
einandergefetzt, als handle es sich um Papier. Ein unna-
türliches, grünliches Leuchten drang aus dem Spalt.
Ohne sichtliche Anstrengung riß Priscilla die ganze
Vorderfront ab. Kreischend gab das Metall nach. Blut
lief in breiten, dunklen Strömen an Priscillas nackten
Armen herab. Mörtel rieselte aus den Fugen, und ein
Teil des Putzes und der Tapete bröckelten ab, als der
gesamte eingemauerte Safe mit unvorstellbarer Wucht
aus der Wand gerissen wurde. Das grünliche Leuchten
verstärkte sich noch.
Ich versuchte auf die Beine zu kommen und ließ mich
stöhnend zurücksinken, als erneut ein glühender Dolch
mein Rückgrat zu spalten schien.
Priscilla griff in den Safe und zog ein bizarr geformtes
Gebilde heraus, das wie ein unmenschliches Herz zu
pulsieren schien und in seinem Inneren das kalte, grün-

155

liche Leuchten gebar. Es war jetzt so stark, daß es sogar durch ihre Hände drang. Selbst das Blut, das an ihren Armen herablief, schimmerte grün.

Ein Alptraum wurde wahr: Die sechs Siegel hatten sich trotz ihrer völlig unterschiedlichen Formen auf unmöglich anmutende Art zu einem Ganzen zusammengefügt, einem fremdartigen Ding mit Flächen und Kanten, die es gar nicht geben dürfte. Winkel, die auf sinnverwirrende Art in sich gekrümmt waren, hatten sich gebildet und die Verschmelzung der Siegel möglich gemacht.

Von diesem menschlicher Vorstellungskraft hohnsprechenden Gebilde ging ein Grauen aus, das sich wie ein schleichendes Gift in meine Seele stahl. Der Hauch des Bösen kroch auf dürren Spinnenbeinen durch meine Gedanken. Ich wollte den Kopf abwenden, konnte mich aber von dem Anblick nicht losreißen.

Und unter Priscillas Händen begannen sich die Siegel zu verwandeln.

Ich schrie vor Entsetzen auf.

»Nein!« krächzte ich. »Um Gottes willen ... Priscilla, hör auf!«

Sie beachtete mich nicht einmal, sondern fuhr in ihrem schrecklichen Werk fort. Ich besaß nur sechs der sieben Siegel, und um die Großen Alten zu erwecken, waren alle sieben nötig. Und doch geschah es, hier, vor meinen Augen!

Noch einmal versuchte ich mich hochzustemmen, doch wieder gaben meine Beine unter mir nach.

Mit der Kraft der Verzweiflung kroch ich auf Priscilla zu.

Ihr Gesicht war kaum noch zu erkennen, so sehr hatten Wahnsinn und fanatischer Haß es entstellt. Geifer troff von ihren Lippen, und ununterbrochen murmelte sie finster klingende Worte einer längst untergegangenen Sprache.

Jede Bewegung bereitete mir unvorstellbare Pein, aber mit einer Kraft, von der ich nicht wußte, woher ich sie nahm, zwang ich mich Zoll um Zoll vorwärts. Es war seltsam, aber je mehr ich mich Priscilla näherte, desto mehr Kraft schien in meinen Körper zurückzukehren.

Schließlich lag ich vor ihr, so nahe, daß ich sie mit den Händen berühren konnte. Wieso wich sie nicht vor mir zurück? Wieso floh sie nicht? Wieso wehrte sie mich nicht ab? Ein einziger Tritt, ein Hieb mit dem entsetzlichen Ding, das sich zwischen ihren Händen bildete, sich formte wie ein entsetzlicher chthonischer Embryo, hätte genügt, um das letzte bißchen Leben in mir auszulöschen. Nichts dergleichen geschah. Priscilla stand reglos da und starrte mir mit ihrem haßverzerrten Gesicht entgegen.

Da nahm ich all meine Kraft zusammen. Meine Hände packten zu, schlossen sich um ihre Fußgelenke und zerrten daran. Es fühlte sich an, als griffe ich in faulendes nasses Fleisch, doch ich ließ nicht los, sondern zerrte mit aller Kraft.

Und das Unglaubliche geschah.

Priscilla stürzte.

Sie wankte, kämpfte einen Moment lang vergebens um ihr Gleichgewicht und fiel schließlich mit hilflos rudernden Armen nach hinten, wobei sie das Siegel fallen ließ. Ohne auch nur zu denken, warf ich mich herum und fing das entsetzliche Gebilde auf.

Meine Hände glitten in weißglühende Lava. Ein unbeschreiblicher Schmerz raste durch meine Arme. Ich brüllte wie ein todwundes Tier und versuchte das schreckliche Ding loszulassen, aber es ging nicht.

Meine Hände brannten.

Der Schmerz überstieg die Grenzen des Vorstellbaren, aber ich verlor nicht das Bewußtsein, und ich starb auch nicht. Ich sah, wie meine Haut schwarz wurde, mein Fleisch zu brennen begann und sich in großen nassen Blasen von den Knochen schälte, wie die Flammen meine Unterarme hinaufkrochen, aber noch immer konnte ich das entsetzliche Ding nicht loslassen.

Und es verwandelte sich weiter.

Etwas entstand, wofür ich keine Worte hatte, weil es nichts ähnelte, was ich jemals zuvor gesehen hatte. Etwas unbeschreiblich Entsetzliches, Grauenhaftes.

Und dann hörte ich Priscilla lachen. Leise, fast perlend, aber unglaublich böse. Trotz der furchtbaren Schmerzen sah ich auf und blickte durch einen Schleier von Tränen in das, was einmal ihr Gesicht gewesen war.

»Du Narr«, sagte sie leise. »Du dummer, romantischer Narr. Hast du es denn immer noch nicht begriffen?«

»Was?« stöhnte ich. Ich konnte noch sprechen!

»Sie verbinden sich«, kicherte Priscilla. »Begreifst du es denn immer noch nicht, Robert? Die SIEBEN SIEGEL DER MACHT sind wieder zusammengefügt!«

»Aber... wie...« keuchte ich. »Es sind nur sechs. Wo... wieso...«

»Nur sechs?« Priscilla lachte, ein meckernder, entsetzlicher Laut, der fast schlimmer war als der Schmerz in meinen Händen.

»Nur sechs?« wiederholte sie kichernd. »Ja, verstehst du denn nicht, du Idiot? Das siebente Siegel – bist du!«

»Aber warum?« wimmerte ich. »Warum, Priscilla? Ich liebe dich doch!«

»Lieben?« Ihre Lippen verzogen sich zu einem abfälligen Grinsen. »Du Narr«, krächzte sie. »Du willst es

158

wohl nicht begreifen? Ich bin nicht die, für die du mich hältst.«

Ein kaltes, unbeschreiblich böses Lächeln glomm in ihren Augen. Ich konnte vor Grauen nicht den Blick von ihr lösen.

Ja, das war Priscilla, die ich seit Jahren kannte und liebte. Nichts an ihren Zügen hatte sich wirklich verändert. Doch gleichzeitig war sie etwas anderes, etwas un-beschreiblich Entsetzliches, Fremdes, als schimmerte die Fratze einer zweiten, fürchterlichen Kreatur durch die vertrauten Züge ihres Gesichts.

»Warum?« stöhnte ich. Ich konnte kaum mehr sprechen. Etwas saugte die Kraft aus meinem Leib, zehrte an meiner Lebensenergie und ließ mich schwächer werden, mit jeder Sekunde. Die Schmerzen in meinen Händen waren unerträglich. Dabei hätte ich nach allem medizinischen Ermessen längst keine Schmerzen mehr spüren dürfen: Die Verletzungen, die ich erlitten hatte, hätten mich in eine erlösende Ohnmacht sinken lassen müssen. Aber die gleiche unbegreifliche Macht, die meine Lebenskraft aufzehrte, hielt mich gleichzeitig bei Bewußtsein.

Dann begriff ich, daß es Priscilla war, die beides tat. Sie tötete mich, aber sie sorgte auch dafür, daß dieses Sterben nicht zu schnell ging.

»Wie lange habe ich auf diesen Moment gewartet«, flüsterte sie. »Wie lange! Oh, wie unendlich lange!«

»Wer ... bist ... du?« stöhnte ich. »Wer ... bist du wirklich, Priscilla?«

»Nicht die, für die du mich hältst«, wiederholte Priscilla, und für einen Moment verlor sie jede Ähnlichkeit mit einem Menschen, war nur noch Ungeheuer, Monster, Hexe, Dämon, alles in einem und doch nichts von al-

159

lem.

»Ich habe auf dich gewartet, Robert«, sagte sie kichernd. »Sehr, sehr lange. Und du bist gekommen.« Sie lachte wieder, nahm das entsetzliche grünlodernde Ding aus meinen verbrannten Händen und stand auf. Ich sah, wie auch ihre Haut unter der Hitze schwarz wurde und verkohlte, aber sie schien den Schmerz nicht zu spüren. Ihr Körper war nur eine Hülle; ein Werkzeug, das seinen Dienst – fast – getan hatte und ruhig zerstört werden konnte.

»Du bist gekommen«, rief sie triumphierend. »Du bist gekommen, um das Werk zu vollenden.«

Sie sah mich nicht an bei diesen Worten. Ihr Blick war starr auf das zuckende glühende Ding in ihren Händen gerichtet. Das grüne Licht spiegelte sich in ihren unheimlichen, toten Augen.

»Wer ... bist du?« stöhnte ich.

»Dein Schicksal«, kicherte Priscilla. »Du hast gedacht, du könntest vor mir davonlaufen, Wie? Oh ja, eine Weile ist es dir sogar gelungen, aber jetzt habe ich dich eingeholt.«

»Dann ... dann war alles nicht echt?« wimmerte ich. Der Gedanke war schlimmer als die Schmerzen, schlimmer als das untrügliche Wissen, sterben zu müssen, nicht irgendwann und irgendwo, sondern hier und jetzt. Alles, was ich zu spüren geglaubt hatte – ihre Liebe, ihre Sanftheit, ihre Zuneigung – all das sollte falsch gewesen sein?

»Nicht alles«, sagte das Wesen, das von Priscilla Besitz ergriffen hatte. »Dieser Körper ist nur ein Werkzeug, dessen wir uns bedienen, so wie Tausender anderer zuvor. Aber durch deine Hilfe ist er zum letzten Werkzeug geworden. Nun wird es geschehen, nichts kann es *mehr aufhalten. Nichts!«*

Damit hob sie das grün-flimmernde Ding, das sich aus den Siegeln gebildet hatte, hoch über den Kopf.

Von draußen drang ein ungeheurer Donnerschlag herein.

Noch immer lastete die Dunkelheit wie eine Mauer vor dem Fenster, und eine tödliche Stille breitete sich aus, als hielte die ganze Welt vor Entsetzen den Atem an. Der Boden zitterte. Ein Beben lief durch das Haus. Die Blitze zuckten immer rascher. Und dann traf einer das Fenster.

Die Scheiben zerbarsten. Regen und Glasscherben und ein Schwall eisiger Luft wirbelten in den Salon. Eine Linie aus unerträglich grellem, zischendem Licht jagte im Zickzack über den Boden, brannte eine rauchende Spur in die Dielen, berührte fast spielerisch Tische und Stühle und setzte sie in Brand, huschte weniger als einen Yard neben mir vorbei – und bohrte sich in das grüne Ding in Priscillas Händen.

Das Siegel und ihr Körper glühten auf. Ein entsetzlicher, durch und durch unmenschlicher Schrei übertönte das Heulen des Sturmes und das unheimliche elektrische Zischen des Blitzes. Ich spürte die ungeheure Energie, die durch das Siegel floß.

Und der Blitz erlosch nicht.

Er erstarrte.

Es widersprach allen Naturgesetzen, aber es geschah: Der Blitz fror regelrecht ein, wurde zu einem zuckenden, hin und her peitschenden Tentakel aus purer, blauweiß knisternder Energie, der beinahe liebkosend über den grünen Riesenkristall strich.

Dann traf ein zweiter, noch ungeheuerlicher Schlag das Haus.

Diesmal explodierte die Tür des Salons.

Wie von einem Hammerschlag getroffen flog sie nach innen, prallte mit solcher Wucht gegen die Wand, daß sie in mehrere Teile zerbarst, und fing Feuer. Ein zweiter, blauweißer Blitz fraß sich seinen Weg durch Mauerwerk und Holz und traf das grüne Etwas in Priscillas Händen. Die Hitze wurde unerträglich. Ich bekam kaum noch Luft.

Der dritte Blitz bohrte sich wie eine Lanze aus purem Licht durch das Dach des Hauses, brannte mannsgroße Löcher durch Decken und Wände und traf zielsicher das Siegel. Der Energiefluß verstärkte sich. Priscilla schrie jetzt nicht mehr. Ihr Körper war fast zur Unkenntlichkeit verbrannt, aber etwas hielt ihn noch aufrecht. In ihren Augen war noch Leben.

Und ich wußte, was weiter geschehen würde.

Dreizehn Große Alte.

Ein Blitz für jeden. Dieses Wissen stand mit untrüglicher Sicherheit in mir, von einem Moment auf den anderen. Wenn der dreizehnte Blitz herabzuckte und das Siegel traf, dann würde es soweit sein.

Wieder rollte der Donner, und wieder brannte sich ein armdicker Tentakel aus gleißendem Licht seine Bahn durch das Haus. Überall waren Flammen. Die Luft, die ich atmete, schien zu kochen. Aber ich mußte zu ihr! Ich mußte sie aufhalten! In einer letzten Kraftanspannung stemmte ich mich in die Höhe und taumelte auf Priscilla zu.

»Nein!« keuchte ich. »Priscilla – tu es nicht!«

Ich sah den Hieb nicht einmal kommen.

Priscilla fuhr mit einem entsetzlichen, zischelnden Laut herum, hielt den Kristall für einen Moment nur mit einer Hand und schlug mit der anderen zu. Es war wie der Tritt eines wütenden Giganten.

Wie ein Spielzeug wurde ich durch die Luft gewirbelt, flog quer durch den verwüsteten Salon und prallte gegen einen brennenden Schrank, der unter meinem Gewicht krachend zusammenbrach. Ein unbeschreiblicher Schmerz zuckte durch meinen Rücken. Ich fiel, versuchte den Sturz abzufangen und spürte, daß ich plötzlich keine Kraft mehr in den Beinen hatte. Bevor mir das Bewußtsein schwand, sah ich, wie der fünfte Blitz die Wände zerfetzte und in das Ding in Priscillas Händen hämmerte...

Es ist noch immer nicht vorbei, als ich erwache und die Augen mühsam aufschlage. Es sind jetzt neun oder zehn Blitze, die wie Fäden eines entsetzlichen Spinnennetzes aus purer Energie in Priscillas Händen zusammenlaufen. Ich weiß nicht, wie viele genau. Ich kann nicht mehr zählen. Selbst diese kleine Anstrengung ist zuviel für meinen Geist.

Ich sterbe.

Mein Leben zählt noch nach Sekunden, bestenfalls Minuten, doch ich weiß, daß es vorher geschehen wird, daß Priscilla – das entsetzliche, unmenschliche Ding, das von ihr Besitz ergriffen hat – dafür sorgen wird, daß ich es miterlebe.

Wieder rast ein Blitz durch das Haus und brennt sich in das Siegel, das jetzt die Form einer gewaltigen lodernden Energiekugel angenommen hat.

Ich muß... etwas tun.

Ich bin nicht weit von ihr entfernt, nur ein paar Schritte, und doch könnten es ebensogut Meilen sein. Meine Beine sind taub. Irgend etwas in meinem Rücken ist zerbrochen. Unterhalb meines Bauches spüre ich nichts mehr. Meine Beine brennen, aber ich fühle

163

den Schmerz nicht.

Dann fällt mein Blick auf etwas, das neben mir liegt.

Mein Stockdegen...

Ganz kurz blitzt ein Gedanke hinter meiner Stirn auf: Ich weiß genau, daß ich ihn nicht bei mir hatte, als ich hierher kam. Jetzt ist er da.

Und er beginnt sich zu verändern...

Der gelbe Kristall in seinem Knauf beginnt zu glühen, erstrahlt in einem schwefeligen, unangenehmen Licht. Schließlich pulsiert er wie ein unheimliches, schlagendes Herz aus Energie.

Eine letzte Chance, um das Entsetzliche doch noch zu verhindern? Oder ein weiterer böser Scherz Priscillas? Ich muß es versuchen!

Meine Hände hinterlassen blutige Abdrücke auf dem Teppich, als ich nach dem Degen greife. Der Stahl fühlt sich kalt an, gleichzeitig geht eine fremde Kraft von ihm aus, die fast so schrecklich ist wie das grüne Ding in Priscillas Hand. Vielleicht stärker.

Der nächste Blitz. Rings um mich brennt das Haus wie eine Fackel, aber eine unerklärliche, finstere Macht schützt Priscilla und mich vor der Hitze, die die Möbel aufflammen und den Teppich zu grauer Asche zerfallen läßt.

Ich muß es tun.

Aber ich kann es nicht. Meine Beine sind gebrochen, meine Hände nur mehr nutzlose verbrannte Strünke, in denen kein Gefühl ist, und der Weg zu Priscilla ist so weit, so entsetzlich weit.

Aber ich muß. Noch Sekunden, und das Unbeschreibliche wird Wirklichkeit. Ich muß... zu ihr.

Der Degen... die letzte Chance...

Meine Hände krallen sich in den verkohlten Teppich.

Ich muß zu ihr, ganz egal, wie.
Wenn ich es nicht schaffe, wird die Welt untergehen.
Ich muß es schaffen.
Der zwölfte Blitz.
Über mir beginnt das Haus zusammenzubrechen, aber
ich bin Priscilla jetzt nahe. Etwas hat mir die Kraft gege-
ben, mich trotz meines zerschmetterten Rückgrats und
meiner brennenden Arme und Beine auf sie zuzuzie-
hen. Ich bin ihr nahe. Noch zwei Yards, einen, einen
halben ...
Was ist das? Da, an der Tür? Die Bewegung? Eine Ge-
stalt? Ein ... Mann?
Etwas ist mit seinem Haar, mit seinem Gesicht. Großer
Gott, sein Gesicht.
Er ist –

Fast eine Stunde war vergangen, als ich endlich auf-
hörte zu reden. Meine Kehle war ausgetrocknet und
schmerzte vom langen Sprechen – die letzten Sätze
hatte ich geschrieen –, und ich fühlte mich so ausge-
laugt und müde, als hätte ich all das wirklich durchgemacht und nicht nur in einer Vision mit angesehen.
Aber mir war auch, als hätte ich es erlebt, ich meine,
nicht als Zeuge oder unbeteiligter Beobachter, sondern
ich selbst. Ich konnte im Moment vor Erschöpfung keinen klaren Gedanken fassen, doch ich wußte noch, daß
ich mit seltsam fremder, viel dunklerer Stimme gesprochen hatte, und auch die Wahl der Worte war nicht die
gewesen, die ich getroffen hätte.
Auf einen Wink H. P.s hin brachte mir Rowlf etwas zu
trinken, aber ich war sogar zu schwach, das Glas zu halten. Hilflos ließ ich es zu, daß er mich wie ein Kind
stützte, mit der Linken meinen Kopf hielt und mir mit

der anderen eine scharf schmeckende Flüssigkeit ein-
flößte. Es war Cognac. Ich hustete qualvoll, aber das
Brennen in meiner Kehle half diesmal; es war alles andere als angenehm oder gar belebend, aber es vertrieb
doch ein wenig die lähmende Schwäche, die von mir
Besitz ergriffen hatte.
Mühsam schüttelte ich den Kopf, als er das Glas aber-
mals an meine Lippen halten wollte, setzte mich aus
eigener Kraft auf und hielt mich gleich darauf an den
Armlehnen meines Stuhls fest, um nicht kopfüber auf
den Boden zu purzeln. Ich war schwach wie ein Neuge-
borenes. Es war, als hätte die Vision das letzte bißchen
Kraft aus meinem Körper gesaugt.
»Alles wieder in Ordnung?« fragte H. P. nach einer
Weile.
Ich hob mühsam den Blick und sah ihn fast feindselig
an. »Nein«, knurrte ich. »Es ist ganz und gar nichts in
Ordnung. Was ... was war das?«
H. P. antwortete nicht, aber er tat es auf eine Art, die
mich ziemlich deutlich fühlen ließ, wie überflüssig diese
Frage war. Ich wußte es ja ohnehin: Was ich gesehen
hatte – was ich miterlebt hatte –, war die Nacht der Ka-
tastrophe gewesen. Die letzte Nacht meines Vaters. Die
Nacht, in der die SIEBEN SIEGEL DER MACHT zu-
sammengefügt worden waren.
»So hat es sich also zugetragen«, murmelte H. P. nach
einer Weile. Er starrte mich an, aber irgendwie schien
sein Blick geradewegs durch mich hindurchzugehen.
»Wir haben uns immer gefragt, wie Priscilla es zuwege
gebracht hat, den Kerker zu öffnen, ohne das fehlende
siebente Siegel. Jetzt wissen wir es.«
»Aber wie ... wie kann mein Vater –«
»Ein Teil des Siegels gewesen sein?« fügte Gray hinzu,

als ich nicht weitersprach. Ich nickte hilflos.

Der alte Rechtsanwalt lächelte. »Sie dürfen sich dieses Siegel nicht als irgend etwas Materielles vorstellen, Robert«, sagte er. »Ihr Vater war ein Magier. Ein ... Träger uralter vergessener Mächte. Niemand hier versteht es wirklich, aber Sie ... Sie haben es ja selbst erlebt.«

Wieder breitete sich Schweigen im Raum aus, aber es war ein Schweigen ganz besonderer Art. Ich spürte, daß mich alle anstarrten, und ich glaubte auch zu spüren, daß zumindest H. P. und Gray etwas ganz Bestimmtes von mir erwarteten. Ich wußte auch, was. Aber ich weigerte mich einfach, es auszusprechen.

Nach einer Weile stand ich auf, ging zur Bar und mixte mir mit zitternden Fingern einen neuen, diesmal aber alkoholfreien Drink. »Hast du erfahren, was du wissen wolltest?« fragte ich, nachdem ich zurück war.

H. P. nickte ernst. »Ja. Ich habe es geahnt, seit gestern schon. Aber ich mußte Gewißheit haben. Es tut mir leid, wenn es unangenehm für dich war.«

Unangenehm? Das war schon beinahe eine Unverschämtheit. Die Vision war so unbeschreiblich intensiv gewesen. Ich hatte den Tod meines Vater nicht mit angesehen – ich hatte ihn am eigenen Leib erfahren. »Jedenfalls wissen wir jetzt, wie es deinem Vater gelang, das endgültige Erwachen der Großen Alten doch noch zu verhindern«, fuhr er fort, als ich nichts erwiderte.

»Und wie?« Ich wußte die Antwort ganz genau, aber ich wollte sie von ihm hören, und H. P. schien das zumindest zu ahnen. Er holte tief Atem, und seine Stimme klang sonderbar belegt, als er weitersprach.

»Er bekam Hilfe. Der Mann, den er in seinen letzten Sekunden sah, Robert – er ist ihm zu Hilfe gekommen. Du erinnerst dich, was ich heute morgen über die Uhr gesagt habe?«

Ich nickte.

»Sie muß«, erklärte H. P., »eine Art... Straße darstellen. Irgendwie hat er es geschafft, das Tor durch die Zeit aufzustoßen. Dein Vater bekam Hilfe, Robert. Aus der Zukunft.«

Ich sagte noch immer nichts, aber meine Hände zitterten plötzlich so stark, daß ich einen Teil meines Getränkes verschüttete.

»Der Mann, den er gesehen hat, Robert«, fuhr H. P. mit leiser, fast beschwörender Stimme fort, »der Mann mit seinem Gesicht – du weißt, wer er war.«

Natürlich wußte ich es, auch wenn ich nicht antwortete. Ich hatte ihn genau erkannt, in der allerletzten, schrecklichen Sekunde der Vision. Es war wirklich ein Helfer aus der Zukunft gewesen – genauer gesagt, aus der Gegenwart.

Meiner Gegenwart.

Es war Robert Cravens eigener Sohn gewesen.

Ich.

H. P. und die anderen gingen gegen drei, aber ich blieb noch lange wach in dieser Nacht. Schlaf hätte ich ohnehin kaum gefunden; nicht nach dem, was ich gerade erlebt hatte. Als sich H. P. als letzter nach Lady Audley und den beiden anderen verabschiedete, da spürte ich genau, daß er noch viel sagen wollte, aber er war taktvoll genug, es in dieser Nacht nicht mehr zu tun. Vielleicht wollte er auch nur, daß ich von selbst die Kraft fand, die Konsequenzen aus dem Erlebten zu ziehen.

Draußen vor den Fenstern dämmerte es bereits, als ich endlich aufstand und nach oben ging. Das Haus war sehr still, aber ich hatte keine Angst mehr; irgendwie

168

spürte ich, daß die Ruhe diesmal echt war, sich hinter dem Frieden keine geheimen Schrecken mehr verbargen. Was geschehen war, mußte das Haus wenigstens für kurze Zeit von allen feindseligen Geistern gereinigt haben.

Aus diesem Grund fand ich auch den Mut, noch einmal in das Arbeitszimmer hinaufzugehen. Der Raum war dunkel, fast schwarz, und in der Luft hing noch immer dieser schreckliche Brandgeruch, den ich vielleicht nie wieder völlig aus dem Zimmer herausbekommen würde. Vorsichtig tastete ich mich durch die Trümmerwüste zum Fenster, riß die verkohlten Vorhänge vollends herunter und stieß die beiden Flügel auf. Frische Luft und Kälte fluteten in das Zimmer, und als ich mich umdrehte, kroch ein erster, noch zaghafter Sonnenstrahl durch das Fenster herein und fiel direkt auf die Zifferblätter der Standuhr. Er sah aus wie ein dünner, goldener Stab aus Licht. Ein neuer Fingerzeig des Schicksals? Oder fing ich schon an, in jede Kleinigkeit Dinge hineinzugeheimnissen, die einfach nicht da waren?

Ich versuchte erst gar nicht, eine Antwort auf diese Frage zu finden, sondern trat langsam an die gewaltige Standuhr heran. Sie war noch immer so häßlich und bizarr, wie ich sie in Erinnerung gehabt hatte, aber etwas hatte sich verändert.

Es war nichts an ihrem Äußeren. Es lag an der Einstellung, mit der ich sie betrachtete. Bisher hatte ich in dieser Uhr stets etwas Böses gesehen, etwas Feindseliges und Tödliches, ein Ding, das – zumindest mittelbar – für den Tod meines Großvaters verantwortlich war und auch für mich eine Bedrohung darstellte. Aber ich wußte jetzt, daß das nicht stimmte.

169

H. P. hatte nicht zu Ende gesprochen, dennoch war mir nun alles klar: Ja, diese Uhr war die Verbindung, das Tor durch die Zeit, von unbegreiflichen magischen Kräften aufgestoßen, aber jemand – etwas – versuchte mit aller Macht, mich daran zu hindern, es zu betreten.

Die Großen Alten hatten das Öffnen des Zeittores nicht verhindern können, aber sie hatten dafür gesorgt, daß niemand es benutzen konnte, ohne mit dem Leben dafür zu bezahlen. »Wächter« hatte Großvater jenes Wesen genannt, das auch ihn schließlich tötete. Ich spürte instinktiv, daß mir keinerlei Gefahr drohte, solange ich der Uhr nicht zu nahe kam. Aber der Wächter war noch da. Ich hatte ihn gesehen, gestern abend, ein Paar winziger rotglühender Augen, die mich voll stummem Haß aus den Schatten heraus anstarrten. Und er war es auch gewesen, der den Astralleib meines Vaters in das Nichts zwischen den Wirklichkeiten zurückgerissen hatte, während der Séance. Selbst jetzt spürte ich seine Nähe: unsichtbar, lauernd und böse, unendlich böse. Er würde mich töten, wenn ich auch nur versuchte, die Uhr zu öffnen.

Mit einemmal war mir eiskalt. Allein bei dem Gedanken, mich diesem schrecklichen Wesen stellen zu müssen, krümmte sich etwas in mir wie ein getretener Wurm zusammen.

Aber hatte ich denn überhaupt eine Wahl?

Plötzlich kam mir die ganze Aberwitzigkeit der Situation zu Bewußtsein. Ich stand hier und dachte über etwas nach, das längst geschehen war! Ich hatte die Tür betreten, die mein Vater für mich aufgestoßen hatte, und ich war bei ihm erschienen vor einhundert Jahren schon. Aber wenn ich es nun nicht tat, im Hier und Jetzt? Würden dann die Siegel verschmelzen, würden die Großen Alten erwachen und die Herrschaft über die Welt antreten? Allein mein Hiersein bewies doch, daß das nicht geschehen ist, oder...

Es war ein Gedanke, der einen in den Irrsinn stürzen konnte, wenn man ihn nur lange genug verfolgte.

Ich wandte mich mit einem Ruck um und ging in die Küche hinunter.

Mary fand mich zwei Stunden später am Tisch sitzend, halb eingeschlafen über einer Tasse Kaffee, die längst kalt geworden war. Sie sagte kein Wort, sah mich aber sehr vorwurfsvoll an und nahm mir die Tasse fort. Erst dann legte sie ihren Mantel ab, schloß sorgfältig die Tür hinter sich und setzte sich zu mir. Fast eine Minute lang sah sie mich nur einfach an, klappte dann ihre Handtasche auf und nahm eine zerknitterte Zigarettenpackung hervor. Ich hatte gar nicht gewußt, daß sie rauchte. Schweigend hielt sie mir die Packung hin, zuckte die Achseln, als ich den Kopf schüttelte, und ließ ein billiges Wegwerf-Feuerzeug aufschnappen.

»Wir sollten miteinander reden, finden Sie nicht, Robert?« begann sie.

Ich nickte bloß. Mary zog die linke Augenbraue hoch, als die erhoffte Antwort ausblieb, und nahm einen weiteren, tiefen Zug aus ihrer Zigarette. Dann hustete sie. Wie gesagt – sie schien sehr selten zu rauchen.

»Wollen Sie sich umbringen, Robert?« fragte sie plötzlich.

»Wie kommen Sie darauf?«

Statt einer Antwort klappte Mary abermals ihre Handtasche auf, zog einen kleinen Taschenspiegel heraus und hielt ihn mir vors Gesicht.

Als ich mein eigenes Spiegelbild sah, wußte ich, was sie meinte. Mein Gesicht war weiß wie die sprichwörtliche

171

Wand. Dunkle Ringe lagen unter meinen Augen, und meine Wangen wirkten eingefallen und grau. Das war nicht ich, der mir da aus dem Spiegel entgegenstarrte, das war ein Gespenst.

»Sie haben heute nacht wieder nicht geschlafen, wie?« fragte sie.

»Nein«, antwortete ich einsilbig.

»Haben Sie wieder... Nachforschungen angestellt?« fragte sie betont.

»Ja, das habe ich, Mary.« Ich stand auf, ging zur Anrichte hinüber und holte mir die Kaffeetasse zurück, die sie mir gerade weggenommen hatte.

»Es hat mit dem Tod Ihres Großvaters zu tun«, vermutete Mary. Und fügte hinzu: »Dieser schreckliche Polizeibeamte hat recht, nicht wahr? Es war kein Unfall.«

Ich nickte widerstrebend. »Ja. Er hat recht. Aber anders, als er denkt.«

Mary schwieg fast eine Minute. »Wollen Sie darüber reden?« fragte sie schließlich.

Warum eigentlich nicht? Ich wurde sowieso schon von jedermann entweder für einen Mörder oder für verrückt gehalten. Trotzdem fiel es mir schwer zu sprechen.

»Würden Sie mir glauben, wenn ich Ihnen sagte, daß Großvater von einem...« Ich stockte, suchte einen Moment nach den passenden Worten und fuhr seufzend fort: »...von einem Dämon getötet worden ist?«

»Natürlich«, antwortete Mary, als wäre das das Selbstverständlichste von der Welt.

Diesmal war ich es, der verdutzt schwieg.

Mary lächelte verzeihend. »Was denken Sie von mir, Robert?« fragte sie. »Ich bin vielleicht nur eine einfache Frau, aber ich habe Ohren, um zu hören, und Augen, um zu sehen. Ich bin seit dreißig Jahren in diesem Haus.«

»Dann wissen Sie, daß Großvater sich —«

»— mit okkulten Dingen beschäftigte?« Sie nickte. »Aber selbstverständlich. Sie können ein Geheimnis nicht dreißig Jahre lang vor jemandem verbergen, der in diesem Haus lebt. Ich wußte es, noch bevor Sie geboren wurden, Sir. Und ich wußte, daß es eines Tages so enden würde.« Ihr Blick wurde sehr ernst. »Ich habe ihn gewarnt.«

»So?«

»Mehr als einmal«, bestätigte sie. »Oh, ich sage nicht, daß es Geister wirklich gibt, oder Dämonen, verstehen Sie? Aber es gibt Dinge, die nicht gut sind. Dinge, mit denen man sich nicht beschäftigen sollte. Schlechte Dinge, die über kurz oder lang ihren Preis fordern. Bei Ihrem Großvater war es am Ende sein Leben.« Sie legte den Kopf auf die Seite und sah mich mit einer Mischung aus Mißtrauen und Mitleid an. »Und jetzt sind Sie auf dem besten Wege, den gleichen Fehler zu begehen wie er.«

»Unsinn!« widersprach ich. »Ich habe nur gewisse Dinge herausgefunden. Ich habe bestimmt nicht vor, wie mein Großvater zu enden.«

»Lügen Sie mich nicht an«, sagte Mary freundlich. »Sie haben herausgefunden, was Ihr Großvater wirklich getan hat, und jetzt wollen Sie irgend etwas gutmachen, wie? Widersprechen Sie mir nicht, Robert – ich kenne diesen Blick. Ich habe all das schon einmal erlebt, vor fünfundzwanzig Jahren. Damals saß Ihr Großvater hier, genau an diesem Tisch, und er hatte den gleichen Blick wie Sie jetzt. Ich habe ihn gewarnt, aber er hat nicht auf mich gehört. Sie glauben, diese Mächte hätten Ihren

173

Großvater umgebracht, und jetzt wollen Sie sich rächen. Aber Rache hat noch nie etwas wieder gutgemacht. Sie nutzt niemandem.«

»Das ist nicht ganz richtig«, widersprach ich. »Mein Großvater wurde umgebracht, das stimmt, aber er wollte nichts heraufbeschwören. Er ... hat sich geopfert, Mary. Für mich!«

Mary schien nicht im mindesten beeindruckt. »Nachdem er selbst diese Gewalten herausgefordert hat«, sagte sie ungerührt. »Was glauben Sie, Robert? Denken Sie, man kann mit dem Feuer spielen, ohne sich die Finger zu verbrennen? Ich weiß nicht, was Ihr Großvater genau getan hat, aber er hat sich mit Dingen beschäftigt, die nicht für Menschen sind. Es steht schon in der Bibel, wissen Sie das nicht? Die Sünden der Väter sollen auf ihre Kinder und Kindeskinder zurückfallen. Bis ins siebente Glied.«

Ob sie wohl ahnte, wie nahe sie der Wahrheit damit kam?

»Hören Sie auf eine alte Frau, Robert, und lassen Sie die Finger davon«, fuhr sie fort. »Zerstören Sie nicht auch noch Ihr Leben. Sie machen gar nichts gut, wenn Sie sich opfern. Das macht Ihren Großvater nicht wieder lebendig.«

»Und wenn es schon zu spät ist?« fragte ich leise.

»Das ist es nie«, behauptete Mary. »Gehen Sie fort. Verreisen Sie für ein Jahr, oder zwei, oder verlassen Sie dieses Haus und ziehen Sie in eine moderne Stadtwohnung. Es ist dieses Haus, Robert, irgend etwas in ihm, das Ihren Großvater getötet hat. Es ist böse.« Sie lächelte, als sie meinen verwunderten Blick bemerkte. »Ich habe es nie gemocht«, fuhr sie fort. »Niemand mag es wirklich. Haben Sie sich nie Gedanken darüber gemacht, wieso wir so oft neues Personal haben? Niemand hält es lange hier aus.«

»Aber Sie sind doch geblieben.«

Mary nickte. »Das stimmt. Aber ich bin nur um Ihres Großvaters willen geblieben. Er brauchte mich. Und Sie auch.« Sie zerdrückte ihre Zigarette auf meiner Untertasse, wedelte mit der Hand in der Luft herum, um den blaugrauen Qualm zu vertreiben, und stand auf. »Und jetzt machen Sie, daß Sie ins Bett kommen, Sie dummer nichtsnutziger Junge, ehe ich andere Seiten aufziehe«, fügte sie in schlecht gespieltem Zorn hinzu. »Ich will Sie bis morgen früh nicht mehr hier sehen, verstanden?«

Ich gehorchte Mary, schon weil ich gar keine andere Wahl hatte – mein gequälter Körper verlangte einfach sein Recht, und das schlug sich in fast vierundzwanzig Stunden ununterbrochenem Schlaf nieder. Ich hatte weder Alpträume noch andere Visionen, sondern schlief zum ersten Mal seit Wochen tief und sehr erquickend. Mary verlor kein Wort mehr über unser morgendliches Gespräch, auch nicht, wenn wir allein waren, und das Leben normalisierte sich allmählich wieder. Ich weiß nicht genau, was ich erwartet hatte nach jener fürchterlichen Nacht, aber es geschah nichts. Das Haus war plötzlich wieder ein Haus, nicht mehr und nicht weniger, die Schatten waren Schatten, und die Dunkelheit war ein guter Freund und nicht ein schwarzer Vorhang, hinter dem Schimären lauerten.

Und ich kam zu einem Entschluß. Es waren zu einem nicht geringen Teil Marys Worte an jenem Morgen, die mir halfen, die Entscheidung zu treffen. Wahrscheinlich ohne es selbst zu ahnen, war sie der Wahrheit viel näher gekommen als irgendein anderer, H. P. und mich eingeschlossen. Die Geschichte über die Großen Alten und meinen Vater mochte wahr sein oder nicht, darauf kam es gar nicht an. Worauf es ankam, war, daß es schlechte Dinge waren. Wie Mary es ausgedrückt hatte, Dinge, die nicht für Menschen sind. Man ging zugrunde, wenn man sich zu lange damit beschäftigte, ganz gleich, mit welchen Absichten man es tat.

Nein, ich würde mich dem Monster nicht stellen, und ich würde auch nicht noch einmal ins Innere dieser schrecklichen Uhr treten, ganz egal, was H. P. oder Gray von mir erwarteten. Und ich mußte es ja auch nicht – die Großen Alten waren in jener Nacht nicht erwacht, wie allein die Tatsache, daß die Welt noch bestand, bewies. Was immer geschehen war, ich hatte nichts damit zu tun. Und ich wollte auch nichts damit zu tun haben. Um meine Entscheidung quasi auch nach außen hin zu dokumentieren, faßte ich zweierlei Entschlüsse:

Der eine war, das Arbeitszimmer meines Großvaters gründlich renovieren zu lassen, der andere, mich von dieser fürchterlichen Uhr zu trennen. Sofort.

Ich bestellte einen Anstreicher und telefonierte mit einem Antiquitätenhändler, der sich höchst interessiert zeigte und schon im Laufe desselben Vormittags vorbeikam. Wir wurden schnell handelseinig – kein Wunder, bei dem Preis, den ich verlangte. Er muß wohl angenommen haben, an einen kompletten Idioten geraten zu sein, dem Blick nach zu schließen, mit dem er den Scheck ausfüllte. Aber gleich wie – kaum zwei Stunden später rollte ein hellroter Kastenwagen vor dem Grundstück an, und vier muskulöse Männer stiegen aus, um die Standuhr abzutransportieren. Ich selbst überwachte ihre Arbeit, gab den vieren anschließend ein Trinkgeld,

176

das annähernd den halben Kaufpreis der Uhr ausmachte, und verbrachte den Rest des Tages damit, mich erleichtert zu fühlen.

Am nächsten Morgen kamen die Handwerker. Ich hatte eines der besten Unternehmen der Stadt engagiert, und die Männer waren wirklich ihr Geld wert: Zwei Tage lang glich die Bibliothek einem Trümmerfeld, aber als ich am Abend des dritten Tages – mithin des fünften seit jener verunglückten Séance – mit dem Malermeister ins Zimmer ging, war ich beeindruckt. Der Raum sah aus wie neu, wie man so schön sagt. Die Spuren den Brandes waren vollkommen getilgt, Decken und Wände in hellen, freundlichen Farben tapeziert und der Parkettboden frisch abgezogen und ohne den allerkleinsten Fleck. Den Wandsafe hatten die Leute auf meinen ausdrücklichen Wunsch hin gleich mit übertapeziert. Ich hatte mit dem Gedanken gespielt, ihn herauszureißen, aber dann hätte ich ihn vorher öffnen müssen, und dazu hatte ich wahrlich keine Lust.

Noch am selben Tag rief ich Londons besten Innenarchitekten an, und am nächsten Abend hätte nicht einmal mein Großvater das Zimmer wiedererkannt. Es stand jetzt voll heller, graziler Möbel aus Chrom und Glas. Das neue Bücherregal enthielt nur noch eine Handvoll ausgesuchter – und vor allem harmloser – Bücher und ansonsten einige Bilder und Grünpflanzen, und wo das Monstrum von Uhr gestanden hatte, prangte jetzt ein übergroßer Druck von Andy Warhol. H. P. würde der Schlag treffen, wenn er dieses Zimmer sah! Ich war rundum zufrieden. Zum ersten Mal seit dem Tode meines Großvaters sahen mich Mary und die anderen wieder laut pfeifend durch das Haus marschieren. Ich war völlig sicher, alles in meiner Macht Ste-

177

hende getan zu haben, um den Wächter zufriedenzu-
stellen. Und ich war hundertprozentig davon überzeugt,
daß mir jetzt nichts mehr passieren konnte. Ich Idiot.

Es vergingen nicht einmal vierundzwanzig Stunden, bis
die Wirklichkeit mich einholte. Es war am Nachmittag
des darauffolgenden Tages, als Mary in den Salon kam
und mit einem diskreten Räuspern meine Aufmerksamkeit zu erheischen versuchte.
»Besuch für Sie, Sir«, sagte sie, nachdem ich das Buch,
in dem ich gelesen hatte, sinken ließ und sie fragend
ansah.
»Besuch? Wer?«
Mary kam gar nicht mehr dazu zu antworten, denn hinter ihr erschienen zwei sehr unterschiedliche Gestalten,
von denen die eine die Abmessungen eines kleinen
Berges hatte. Mary setzte zu einem geharnischten Pro-
test an, aber Rowlf schob sie einfach aus dem Weg,
während H. P. mit weit ausgreifenden Schritten an ihr
vorbeiging. Seine Kleidung war noch immer gute hundert Jahre alt, und in der Rechten schwang er ein lä-
cherliches kleines Stöckchen, wie es vor Jahrzehnten
Mode gewesen war.
»Es ist schon gut, Mary«, sagte er. »Robert empfängt
uns. Das stimmt doch – oder?« fügte er hinzu, in meine
Richtung gewandt.
Ich war so verblüfft, daß ich ganz automatisch nickte.
Rowlf grunzte zufrieden, schob Mary kurzerhand aus
dem Zimmer und schloß die Tür hinter ihr, während
H. P. gemächlich auf mich zugeschlendert kam.
»Das ist . . . schön, daß ihr wieder einmal vorbeikommt«,
sagte ich zögernd.
H. P. blieb leicht irritiert stehen. Offensichtlich war das

nicht ganz die Begrüßung, mit der er gerechnet hatte.
»Wir haben auf ein Lebenszeichen von dir gewartet«,
sagte er nach einer Weile. »Was war los? Ich meine,
daß du nach diesem Abend erst einmal eine gewisse
Zeit für dich gebraucht hast, war klar, aber...« Er
sprach nicht weiter, sondern sah mich nur stumm und
vorwurfsvoll an. Ich begann mich mit jeder Sekunde weniger wohl in meiner Haut zu fühlen.
Schließlich legte ich das Buch aus meiner Hand, stand
auf und trat ans Fenster. Nicht, daß es draußen irgend
etwas Interessantes zu sehen gegeben hätte. Ich konnte
H. P.s Blicke regelrecht im Rücken fühlen.
»Was hast du?« fragte er noch einmal, nachdem fast
eine Minute vergangen war.
»Nichts«, antwortete ich ausweichend, und ohne mich
zu ihm herumzudrehen. »Oder doch. Ich... habe nachgedacht.«
»So, hast du das?« H. P. trat ganz dicht an mich heran.
Ich wandte mich noch immer nicht ihm zu, aber ich
konnte sein Gesicht als verzerrte Spiegelung in der
Fensterscheibe vor mir erkennen. »Und zu welchem Ergebnis bist du gekommen?«
Warum fiel es mir so schwer zu antworten? Ich hatte
doch in den letzten drei oder vier Tagen fast nichts anderes getan, als mir die passenden Worte zurechtzule-
gen. Oh, ich hatte wunderschöne Antworten gefunden;
geschliffene Erwiderungen auf jede mögliche Frage, die
er stellen konnte. Jetzt war mein Kopf wie leergefegt.
»Ich will mit alledem nichts mehr zu tun haben«, stieß
ich schließlich mühsam hervor.
H. P. wirkte nicht einmal überrascht. Er sah eher traurig aus. Endlich drehte ich mich herum und sah im fest
ins Gesicht. Aber er hielt meinem Blick gelassen stand,

179

und nach einer Weile war ich es, der betreten wegsah. Ich kam mir vor wie ein Verräter.

»Warum?« fragte er schließlich.

»Warum?« Ich lachte bitter. »Kannst du dir das nicht denken, H. P.?« Ich machte eine Handbewegung, die das ganze Haus einschloß. »Nach allem, was hier passiert ist –«

»Hast du Angst«, ergänzte H. P. »Das ist nur zu verständlich.«

»Nein!« widersprach ich heftig. »Oder doch, ja, ich habe Angst, aber das ist es nicht allein.« Natürlich war es das, das und nichts anderes, aber ich war selbst jetzt noch zu stolz, es zuzugeben.

»Ich wollte, ich wäre euch nie begegnet«, fuhr ich erregt fort. »Alles ist anders geworden, seit ihr in mein Leben getreten seid, und an allem seid nur ihr schuld. Mein Großvater ist tot, und ... und ...« Ich sprach nicht weiter. Was ich gesagt hatte, war ungerecht, und das wußte ich sehr wohl; trotzdem antwortete H. P. nicht seinerseits mit Vorwürfen, sondern schüttelte nur traurig den Kopf und ließ sich auf die Armlehne eines Sessels sinken. Die lässige Haltung, in der er dasaß und mich betrachtete, paßte überhaupt nicht zu seiner äußeren Erscheinung.

Bevor er etwas sagte, zündete er sich erst einmal umständlich eine Zigarre an. »Du scheinst nicht begriffen zu haben, was deine Vision bedeutet«, begann er schließlich.

»Oh doch«, antwortete ich ärgerlich. »Besser als du. Sie bedeutet, daß ich mich raushalten soll. Ich verstehe vielleicht nicht annähernd so viel wie du von Geistern und Dämonen und all dem Kram, aber ich bin nicht so dumm, die Warnung nicht zu erkennen.«

180

»Aber du hast gar keine andere Wahl«, widersprach
H. P. ruhig.

»Wieso?« fragte ich. »Was soll mich daran hindern, in
das nächste Flugzeug zu steigen und nach Sri Lanka zu
verschwinden?«

»Du hast es doch gesehen«, antwortete H. P. Er sprach
plötzlich mit sonderbar sanfter Stimme, in einem Tonfall, den man einem störrischen Kind gegenüber an-
schlagen mochte. »Du warst da, in jener Nacht. Du hast
deinem Vater geholfen, ob es dir nun gefällt oder nicht.
Du kannst die Gesetze der Zeit nicht ignorieren. Was
geschehen ist, kann nicht rückgängig gemacht werden.«
Und damit hatte ich ihn. Natürlich hatte ich auch darüber nachgedacht – und um ehrlich zu sein, hatte ich
die ganze Zeit nur auf dieses Argument gewartet.

»Du täuscht dich, H. P.«, antwortete ich. »Ich war da,
das stimmt. Mein Vater hat mich gesehen. Aber das ist
auch alles.«

H. P. sah plötzlich irgendwie alarmiert aus. »Und? Was
willst du damit sagen?«

»Ich habe es bereits getan«, fuhr ich fort. »Vor einer
Woche. In der Nacht, in der mein Großvater starb. Ich
war da, ich habe meinen Vater gesehen, und Priscilla
auch. Und danach bin ich zusammen mit meinem Großvater geflohen.«

H. P. schwieg eine ganze Weile. Die Bewegungen, mit
denen er seine Zigarre an den Mund führte und daran
sog, wurden ein ganz kleines bißchen nervöser.

»Aber du mußt ihm geholfen haben«, sagte er schließlich. Irgendwie klang es hilflos, fast verzweifelt. »Wir
alle wären nicht hier, wenn die Großen Alten wirklich
erwacht wären.«

»Aber sie sind es nicht«, antwortete ich. »Irgendwie hat

181

er es doch noch geschafft, Priscilla zu besiegen und das Siegel zu zerstören – und zwar ohne meine Hilfe. Widersprich mir nicht«, fuhr ich auf, als er mich unterbrechen wollte. »Du hast es selbst gesagt – wir wären nicht hier, wenn sie erwacht wären. Ich weiß nicht, was geschehen ist, in dieser Nacht, aber ich habe jedenfalls nichts damit zu schaffen. Ich will nicht mehr, H. P., verstehst du? Das alles ist mir zu viel. Mein Großvater ist tot. In meinem Haus schleichen Ungeheuer herum, ich erlebe Dinge, die seit hundert Jahren Vergangenheit sind, und die Polizei verdächtigt mich, meinen eigenen Großvater umgebracht zu haben.«

»Aber das gehört alles dazu«, widersprach H. P. »Begreifst du denn nicht, daß du genau das tust, was sie wollen?«

»Ach?« fragte ich spitz.

»Aber natürlich!« ereiferte sich H. P.. »Selbst Card gehört dazu, ohne es zu wissen. Versteh doch, Robert! Das Tor wird nicht ewig geöffnet bleiben. Die Sterne stehen noch günstig, aber in ein paar Tagen wird sich die Straße durch die Zeit schließen, und dann ist die letzte Chance unwiderruflich vorbei! Sie tun alles, um dich aus diesem Haus fortzubekommen.«

»Seit ein paar Tagen geht es mir ausgezeichnet«, erklärte ich ärgerlich.

H. P. nickte wütend. »Weil du aufgegeben hast, ja«, fauchte er. »Sie wissen es genau. Ist dir nicht aufgefallen, daß Card dich plötzlich in Ruhe läßt? Daß hier nichts mehr geschieht? Daß –«

»Doch«, unterbrach ich ihn. »Und so wird es auch bleiben. Ich will von diesem ganzen Wahnsinn nichts mehr hören.«

H. P. seufzte. »Du hast doch gar keine andere Wahl.«

»Habe ich nicht? Dann komm mit.« Ich fuhr ärgerlich herum, lief im Sturmschritt zur Tür und riß sie auf. »Komm«, sagte ich ungeduldig. »Ich will dir etwas zeigen.«

H. P. blinzelte verwirrt, erhob sich aber gehorsam von seinem Sitzplatz und folgte mir in die Halle hinaus und die Treppe hinauf. Auf seinem Gesicht erschien ein besorgter Ausdruck, als er sah, daß ich das Arbeitszimmer meines Großvaters ansteuerte. Ein Ausdruck, der sich in pures Entsetzen verwandelte, als ich die Tür öffnete und ihn mit einer übertrieben höflichen Geste aufforderte einzutreten.

»Großer Gott«, murmelte er. »Du hast...«

»Renoviert«, unterbrach ich ihn. »Ja. Ich war den alten Plunder ohnehin schon lange leid.«

H. P. antwortete gar nicht, sondern trat mit einem weiteren Schritt an mir vorbei und vollends in das Zimmer hinein. Ich sah, daß er bleich wurde, als er erkannte, daß das gesamte Mobiliar verschwunden war.

Und dann atmete er erleichtert auf.

»Gott sei Dank«, flüsterte er. »Und ich habe schon gedacht, du meinst es wirklich ernst.«

Ich verstand kein Wort. Beunruhigt betrat ich ebenfalls das Zimmer, drehte mich in die Richtung, in die sein Blick fiel – und stieß einen leisen, erschrockenen Laut aus.

Das Zimmer sah so aus, wie es der Innenarchitekt hinterlassen hatte, bis auf einen Unterschied: Vor der dem Fenster gegenüberliegenden Wand, dort, wo heute morgen noch der Warhol-Druck gehangen hatte, thronte die Standuhr.

Ich hängte endgültig ein, nachdem die Post zum dritten Male unterbrochen hatte, weil sich am anderen Ende auch nach zwanzigmaligem Läuten niemand meldete. »Einhängen« ist eigentlich eine milde Umschreibung. Ich knallte den Hörer so heftig auf das Telefon zurück, daß der ganze Apparat hörbar knirschte und Mary, die gerade vorüberging, einen Moment innehielt und mich stirnrunzelnd ansah.

»Kann ich etwas für Sie tun, Sir?« fragte sie.

»Ja«, fauchte ich. »Versuchen Sie weiter, diesen Antiquitätenhändler zu erreichen. Er soll sich bei mir melden. Und zwar auf der Stelle!«

Mary griff gehorsam nach dem Telefonhörer und begann die Nummer einzutippen, die ich auf einem Zettel daneben notiert hatte. Aber sie sah mich dabei auf sehr sonderbare Weise an. Beinahe erschrocken.

»Ist irgend etwas?« fragte ich gereizt.

»Ich ... glaube nicht, daß er etwas damit zu tun hat«, antwortete Mary zögernd.

»So? Und wieso glauben Sie das nicht, Mary?« fragte ich, mühsam beherrscht. Ich mußte aufpassen, meine schlechte Laune nicht an ihr auszulassen. H. P. und Rowlf waren vor einer guten halben Stunde gegangen, und seither hatte ich mir die Zeit damit vertrieben, kreuz und quer durch das Haus zu toben und wechselweise das Personal und Merlin zu tyrannisieren. Natürlich konnte keiner von ihnen irgend etwas dafür – aber auch ich bin schließlich nur ein Mensch, dessen Nervenkraft gewisse Grenzen gesetzt sind.

Mary schüttelte vorsichtig den Kopf. Ich sah ihr an, daß sie es bereits bereute, sich auf das Thema eingelassen zu haben. »Er wird die Uhr doch nicht heimlich zurückgebracht haben«, sagte sie. Damit sprach sie im Grunde nur aus, was ich mir auch schon gedacht hatte – schließlich hätte es ja wohl jemand im Haus gemerkt, wenn ein LKW mit vier Männern vorgefahren wäre, die eine zwei Meter große Standuhr ausluden, oder? Aber ich wußte nicht, wo ich sonst ansetzen sollte.

»Wahrscheinlich nicht«, räumte ich ein. »Ich will ja auch nur mit ihm reden. Irgend etwas muß er wissen.« Mary nickte und tippte den Rest der Nummer ein.

»Richtig unheimlich ist das, nicht?« flüsterte sie, während sie den Hörer ans Ohr hielt und auf das Tuten des Freizeichens lauschte.

»Was?« fragte ich überflüssigerweise.

Mary machte eine Kopfbewegung zur Treppe; und zum Arbeitszimmer. »Das mit der Uhr«, antwortete sie. »Ich meine, daß sie plötzlich wieder da ist. So etwas ist doch fast unmöglich. Man könnte meinen«, fügte sie mit einem leisen, nervösen Lächeln hinzu, »daß es hier spukt.«

Jetzt war ich es, der sie irritiert ansah. Seit unserem frühmorgendlichen Gespräch vor sechs Tagen war ich der Meinung gewesen, Mary wisse sehr wohl, daß in diesem Haus nicht alles mit rechten Dingen zuging. Aber vielleicht, dachte ich, tat sie einfach dasselbe, was auch ich versuchte – nämlich die Augen vor der Wahrheit zu verschließen. Ich sagte nichts darauf, sondern drehte mich mit einem unwirschen Achselzucken herum und stampfte die Treppe hinauf.

Wütend ging ich ins Arbeitszimmer, knallte die Tür hinter mir zu, daß das halbe Haus wackelte, und funkelte die monströse Standuhr an. Vorhin, als H. P. noch dagewesen war, war ich einfach gelähmt vor Schrecken gewesen, und danach hatte mich für eine ganze Weile die Angst gepackt. Jetzt war ich schlicht und einfach

185

wütend. Zornig wie selten zuvor in meinem Leben. Es war jenes hilflose, schmerzliche Wüten gegen ein übermächtiges Schicksal, das Menschen dazu verleiten mag, Gott zu verfluchen oder irgend etwas unsäglich Dummes – oder Mutiges, da besteht kein großer Unterschied – zu tun.

Ich jedenfalls tat etwas, das zwar vollkommen sinnlos war, mich aber in diesem Moment ungemein erleichterte: Ich versetzte der Uhr einen gewaltigen Fußtritt.

»So, du verdammtes Ding!« schrie ich. »Du denkst, du hättest gewonnen, wie? Du glaubst, du könntest hier stehen und mich angrinsen und hättest schon gewonnen, was?« Ich holte zu einem weiteren Fußtritt aus.

Und in diesem Moment schwang die Tür der Standuhr lautlos auf.

Fünf Sekunden lang stand ich einfach da und glotzte. Eine eisige Hand schien meinen Rücken hinunterzustreichen, während ich das Innere der Uhr anstarrte. Es war ihr normales Inneres, wohlgemerkt, mit dem großen Pendel und den Gewichten an ihren langen Ketten, nicht dieser fürchterliche grüne Schlund, aber wieso war die Tür einfach aufgegangen? Zufall?

Vergeblich versuchte ich mir einzureden, daß es mein eigener Fußtritt gewesen war, der sie aufgesprengt hatte, wenn auch mit einiger Verspätung. Mein Glaube daran, daß es so etwas wie Zufall überhaupt gab, war gründlich erschüttert. Es hätte mich in diesem Moment kaum gewundert, wenn zwischen den messingblitzenden Stangen und Ketten ein schwarzgrünes Monster hervorgekrochen wäre, um mich zu verschlingen.

Aber nichts dergleichen geschah. Die Uhr stand einfach da, das Pendel schwang gleichmäßig hin und her, und das war alles. Nach einer Weile streckte ich vorsichtig die Hand nach der Tür aus, drückte sie wieder ins Schloß und verließ das Arbeitszimmer, so schnell ich nur konnte.

Mary stand noch immer am Telefon, und ich mußte sie erst gar nicht fragen, um zu erkennen, daß sie ebensowenig Erfolg gehabt hatte wie ich.

»Lassen Sie es gut sein, Mary«, sagte ich. »Wir versuchen es später noch einmal. Vielleicht besucht er gerade einen Kunden.«

Mary hängte ein, aber ich hielt sie auf, als sie sich umwenden und zu ihrer eigentlichen Arbeit zurückkehren wollte. »Bleiben Sie, Mary«, bat ich. »Nehmen Sie sich das Branchenbuch und rufen Sie ein paar Immobilienmakler an. Nur die namhaftesten. Machen Sie mit zweien oder dreien einen Termin aus, am besten gleich für morgen.«

Mary sah mich fragend an.

»Sie vermuten richtig«, sagte ich. »Ich werde diesen Schuppen hier verkaufen. Wir ziehen in ein anderes Haus.«

Mary wurde so bleich, als hätte ich von ihr verlangt, eine Ratte zu verschlucken. »Sie wollen... was?« krächzte sie. In ihrer Stimme schwang pures Entsetzen mit.

»Umziehen«, sagte ich. »Überrascht Sie das?«

»Überraschen?« Mary keuchte. Selbst nach dem Tod meines Großvaters hatte ich sie nicht so fassungslos gesehen wie in diesem Augenblick. »Aber das kann doch nicht Ihr Ernst sein, Sir!« flüsterte sie.

»Und warum nicht?« Ehrlich gesagt – ich verstand Marys Reaktion nicht so ganz. Nicht nach dem, was sie mir erst vor ein paar Tagen gesagt hatte.

»Aber das... das geht doch nicht, Sir«, stammelte sie.

187

»Sie ... Sie können nicht ...«

»Was kann ich nicht?« fragte ich lauernd.

»Aber dieses Haus ...« Mary breitete hilflos die Arme aus. »Ich meine, es ... es hat Ihrem Großvater gehört, u ... und es sollte Ihnen gehören, später. Er hat immer gesagt, daß er ... daß er dieses Haus nur für Sie aufbewahrt, und ... und ... wir alle sind doch hier zuhause!«

Zuhause? Aber sie hatte doch selbst gesagt, daß –.

»Aber Sie haben mir doch selbst erzählt, daß Sie sich hier nie wohlgefühlt haben, Mary«, sagte ich verwirrt.

»Ich?« Mary starrte mich an, als zweifle sie an meinem Verstand. »Ich soll das gesagt haben?«

»Aber natürlich. Vor ein paar Tagen erst, als wir uns über dieses Haus unterhielten. Sie sagten, daß Sie schon immer Angst vor diesem Haus gehabt haben.«

Mary war diplomatisch genug, mir nicht zu widersprechen, aber der Blick, mit dem Sie mich maß, war eindeutig. In diesem Moment hielt sie mich wahrscheinlich für total übergeschnappt. Und plötzlich begriff ich. Es war ganz genau so, wie H. P. gesagt hatte. Auch sie gehörte dazu, ohne es auch nur zu ahnen, ebenso wie dieser Inspektor, der Antiquitätenhändler ... Das war nicht Mary gewesen, mit der ich an jenem Morgen gesprochen hatte. Nicht die Mary, die mir jetzt gegenüberstand. Jemand – etwas – hatte sie gezwungen, diese Worte zu sagen, einzig und allein aus dem Grund, den H. P. genannt hatte: Sie versuchten mit aller Macht, mich aus diesem Haus fortzubekommen.

Plötzlich war mir eiskalt.

»Es ist ... gut, Mary«, sagte ich unsicher. »Vergessen Sie es. Vergessen Sie auch die Makler. Ich werde ... noch eine Weile über alles nachdenken.«

»Tun Sie das, Sir«, sagte Mary, sichtlich erleichtert.

»Und wenn Sie irgend etwas brauchen . . .«

»Melde ich mich, sicher doch.« Aber das rief ich ihr schon nur noch über die Schulter hinweg zu. Ich rannte so schnell in mein Zimmer hinauf, als wäre ich auf der Flucht.

Und eigentlich war ich das ja auch.

H. P. meldete sich am nächsten Tag wieder bei mir – auf eine für ihn recht ungewöhnliche Weise: Er benutzte das Telefon. Ich ging gerade meiner Lieblingsbeschäftigung nach – nämlich tatenlos herumzusitzen und mir selbst leid zu tun –, als das Telefon läutete, und H. P. hielt sich nicht lange mit überflüssigen Dingen wie Begrüßungsformeln und einleitenden Floskeln auf. Sein erster Satz lautete: »Hast du es dir überlegt?«

Ich antwortete nicht gleich, sondern starrte den Telefonhörer einen Moment lang feindselig an, und er muß wohl gespürt haben, wie wenig mich sein Anruf erfreute, denn er fügte hinzu: »Ich kann mir vorstellen, in welcher Lage du bist, Robert, aber –«

»Nein«, unterbrach ich ihn grob. »Das kannst du nicht. Und um deine Frage zu beantworten: Ich habe es mir überlegt. Es bleibt dabei. Ich will mit alledem nichts mehr zu tun haben. Endgültig.«

H. P. seufzte. »Aber du hast gar keine andere Wahl, Robert«, sagte er geduldig. »Sieh das doch ein. Du wirst dort erscheinen.«

»Warum fragst du mich denn dann überhaupt noch?« murrte ich. »Wenn sowieso alles schon klar ist –«

»Weil es einen Unterschied macht, ob du gegen deinen Willen in diese Auseinandersetzung hineingezogen wirst oder sie gut vorbereitet und mit Hilfe einiger Freunde angehst«, erklärte er.

»Freunde?« Das Wort kam mir mit abfälligerer Betonung über die Lippen, als ich selbst gewollt hatte, und ich spürte, wie sehr es H. P. verletzte. Aber ich unterdrückte den Impuls, mich zu entschuldigen. Das hätte alles nur noch schlimmer gemacht.

»Überlege es dir, Robert«, fuhr H. P. fort. »Du hast noch zwei Tage. Solange stehen die Sterne noch günstig.«

»Dann melde dich doch am besten in einer Woche wieder bei mir«, antwortete ich böse. »Oder in zwei. Rowlf und du seid herzlich zum Dinner eingeladen.«

»Robert, bitte –«

Den Rest seiner Worte hörte ich nicht mehr. Ich hängte ein. Aber nur für einen Moment; dann hob ich den Hörer wieder ab, legte ihn sorgfältig neben den Apparat und wählte eine Eins. Jetzt konnte H. P. versuchen, mich anzurufen, bis er schwarz wurde.

Da ich ihn kannte und keineswegs den Fehler beging, seine Hartnäckigkeit zu unterschätzen, ging ich hinaus, beschied Mary, jedem Besucher – und zwar ausnahmslos jedem – mitzuteilen, daß ich nicht im Hause sei, und trollte mich in mein Zimmer.

Der Raum glich einem Chaos. Die Hälfte der Möbel war bereits auseinandergebaut oder ganz hinausgeschafft worden, denn nachdem der Innenarchitekt das Arbeitszimmer fertiggestellt hatte, hatte ich ihn gleich beauftragt, alles für meinen Umzug nach unten vorzubereiten – nach dem Tode meines Großvaters gab es keinen Grund mehr für mich, weiter in meinem Dachkammerreich zu verweilen. Aber ich hatte immerhin achtzehn Jahre in diesem Zimmer verbracht, und irgendwie fühlte ich mich hier am meisten zuhause.

Wütend warf ich mich aufs Bett und starrte die Decke an. H. P.s Anruf hatte mir den Tag endgültig verdorben.

Dabei war das Schlimme gar nicht einmal die Tatsache, daß er so nachdrücklich auf seinem hirnrissigen Plan beharrte – das kam schließlich nicht ganz unerwartet, ja, wahrscheinlich wäre ich sogar fast enttäuscht gewesen, wenn er es nicht versucht hätte. Schlimmer war der Gedanke, den seine Worte in mir ausgelöst hatten: daß er recht haben könnte.

Was, wenn ich wirklich keine Wahl hatte? Die Rückkehr der Uhr war unheimlich genug – so unheimlich, daß ich mich bisher einfach geweigert hatte, darüber nachzudenken. Und wenn alles wahr war, wenn mein Vater wirklich ein Mann mit magischen Kräften gewesen war, dann mochte es sein, daß all mein Sträuben und Widerstreben sinnlos war.

Ich war in meinen Überlegungen kurz vor dem Punkt angelangt, an dem es in meinem Kopf Klick machen und ich mich als sabbernden Idioten in einer Gummizelle wiederfinden würde, als ich das Geräusch hörte.

Im ersten Moment vermochte ich es nicht zu identifizieren, aber es beunruhigte mich, ohne daß ich sagen konnte, warum, und so stand ich auf.

Das Zimmer war leer. Mary und die Mädchen waren irgendwo unten im Haus beschäftigt, und der Kater stieg seit dem gestrigen Abend irgendeiner Nachbarskatze nach und würde nicht vor Ablauf einer Woche wiederkommen. Verstört sah ich mich um, entdeckte nichts Ungewöhnliches und wandte mich schließlich zur Tür.

Sie ging auf, ehe ich die halbe Strecke hinter mich gebracht hatte, ohne daß irgend jemand sie berührt oder es auch nur den geringsten Luftzug gegeben hätte. Und draußen auf dem Flur herrschte absolute Dunkelheit.

Aber das war völlig unmöglich! dachte ich. Es war Mittag, draußen über der Stadt lag herrlichster Sonnen-

191

schein! Und trotzdem war der Flur in vollkommene Finsternis getaucht.

Zögernd trat ich auf den Gang hinaus und sah mich um. Der Korridor war leer, doch vor den Fenstern lastete die Schwärze einer Nacht, die acht Stunden zu früh gekommen war. Ich wandte mich nach links, zur Treppe, machte einen weiteren Schritt – und blieb wie versteinert stehen.

Da war das Geräusch wieder, genau hinter mir, und diesmal erkannte ich es. Es waren Schritte. Schritte, die mir wohlvertraut waren. Die schweren, schlurfenden Schritte meines Großvaters!

Ich fuhr herum, setzte zu einem Schrei an und brachte doch keinen Ton heraus. Es war keine Einbildung gewesen. Er stand hinter mir, kaum zwei Yards entfernt, und blickte mich aus seinen dunklen, gutmütigen Augen an. Aber wie hatte er sich verändert! Seine Kleider – großer Gott, er trug den schwarzen Anzug, in dem er beerdigt worden war! – hingen in Fetzen und moderten, sein Gesicht war nicht bleich, sondern schneeweiß, und seine Lippen so blutleer, daß sie wie blasse aufgemalte Striche wirkten. Seine Augen waren trüb, die Augen eines Toten. Und als er sprach, da hallte seine Stimme geisterhaft durch den Flur, unheimlich, düster, mit einer Art Echo, als wären es eigentlich zwei Stimmen, die da redeten.

»Erschrick nicht, Robert«, sagte er. »Ich weiß, daß du Angst vor mir hast, aber das mußt du nicht. Ich bin gekommen, um dich zu warnen.«

Ich starrte ihn an. Die Erinnerung an jenen schrecklichen Morgen vor H. P.s Haus durchzuckte mich, dennoch glaubte ich zu spüren, daß es diesmal anders war. »Du bist in Gefahr, Robert«, fuhr die Erscheinung fort.

»Geh. Verlaß dieses Haus. Verlaß die Stadt, am besten das Land. Sie werden dir nichts tun, solange du der Uhr nicht zu nahe kommst.«

»Das ... das ist unmöglich!« krächzte ich. »Du bist nicht mein Großvater. Mac ist tot!«

Der Blick der trüben Totenaugen wurde traurig. »Das stimmt«, sagte er. »Ich bin tot. Aber der Tod ist nicht das, wofür die meisten ihn halten, Robert. Ich bin zurückgekommen, um dich zu warnen, Robert. H. P. sagt dir nicht die ganze Wahrheit. Dein Vater war ein Magier, und er kämpfte auf der Seite des Guten, aber es war H. P., der ihn vernichtete. Und er wird auch dich töten, wenn du den Fehler begehst, ihm zu glauben.«

»Aber warum sollte er das tun?«

»Weil du der Sohn des Hexers bist, Robert«, fuhr die unheimliche Geisterstimme fort. »Du bist ein Magier, wie dein Vater. Du hast deine Kräfte noch nicht entdeckt, aber es wird nicht mehr lange dauern. Du bist sein Erbe, und schon bald wirst du stärker sein, als es dein Vater jemals war. So stark, daß auch H. P. dir nicht mehr gefährlich werden kann. Deshalb will er dich töten, ehe du deine Macht gebrauchen lernst! Glaube mir! Geh fort aus diesem Haus! Es ist eine Falle. Wenn du die Uhr betrittst, erwartet dich ein Schicksal, das tausendmal schlimmer ist als der Tod!«

»Das ... das ist nicht wahr!« stammelte ich. »Du bist nicht mein Großvater! Du bist der Wächter!«

»Würde ich mit dir reden, wenn ich das wäre?« fragte Großvater sanft. »Wäre alles so, wie H. P. dich glauben machen will, hätte ich dich dann nicht längst getötet?«

Was er sagte, klang überzeugend. Nicht, daß ich in diesem Moment fähig gewesen wäre, auch nur einen einzigen klaren Gedanken zu fassen. In meinem Kopf herrschte ein einziges Chaos. Doch seine Worte bewirkten etwas in mir. Er hatte recht. Wäre er das Wesen, das Mac getötet hatte, die Kreatur, deren rotglühende Augen mich aus den Schatten heraus angestarrt hatten – was hätte ihn daran hindern sollen, mich einfach zu vernichten, hilf- und wehrlos, wie ich war?

»Meine Zeit läuft ab«, fuhr Mac fort. »Ich muß gehen, Robert. Aber denke an meine Warnung. Verlaß dieses Haus!«

Die letzten Worte waren kaum noch zu verstehen, wehten wie von weit, weit her an mein Ohr. Die Gestalt meines Großvaters begann zu verblassen. Für einen Moment sah ich ihn noch, ein halb durchsichtiger Schemen, dann trieb seine Silhouette auseinander wie Nebel, in den der Wind fährt, und ich war wieder allein. Und wie durch Zauberei erlosch auch die Nacht vor den Fenstern.

Schaudernd wandte ich mich um und ging die Treppe hinunter. Ich hatte nicht einmal Angst, in diesem Augenblick. Ich hatte mit einem Toten gesprochen, aber ich hatte keine Angst.

Dafür stand mein Entschluß fest. Ich wußte jetzt, was ich zu tun hatte.

Als ich in die Halle hinunterkam, lief mir Mary über den Weg. Ich winkte sie herbei. »Packen Sie ein paar Sachen zusammen, Mary«, sagte ich. »Und danach rufen Sie am Bahnhof an und buchen ein Erste-Klasse-Abteil für mich.«

»Und wohin?« fragte Mary und starrte mich verblüfft an.

»Das ist egal«, antwortete ich. »Der erste Zug, der England verläßt. Ganz gleich wohin. Nur möglichst weit weg.«

194

Ehe Mary sich von ihrem Staunen erholt hatte, ließ ich sie stehen. Als ich mich zum Salon wandte, fiel mein Blick noch einmal auf die Treppe, und was ich sah, überzeugte mich endgültig davon, daß ich endlich auf dem richtigen Weg war.

Auf der obersten Stufe stand mein Großvater und lächelte zufrieden.

Es ging auf drei Uhr zu, als ich den Bahnhof erreichte. Meine Reisevorbereitungen hatten nicht viel Zeit in Anspruch genommen; eine kleine Reisetasche mit dem Nötigsten war schnell gepackt, mein Paß war wie stets griffbereit gewesen, und ich hatte zum Glück auch eine größere Summe Bargeld im Haus gehabt, die mir ganz unabdingbar erschien. Ich traute es H. P. nämlich durchaus zu, mich zu verfolgen und meine Spur etwa anhand der Kreditkarten, die ich benutzen mochte, aufzunehmen.

Und mein Verdacht schien sich zu bestätigen, kaum daß ich das Haus verließ – ich wurde beobachtet. Auf der anderen Seite des Platzes, nur wenige Meter hinter meinem Porsche, stand eine schwarze Limousine und die beiden Männer darin gaben sich alle Mühe, so zu tun, als wären sie nicht da. H. P. hatte vorgesorgt.

Aber schließlich war auch ich nicht ganz blöd. Ich stieg in den Porsche, fuhr gemächlich in die dem Bahnhof entgegengesetzte Richtung los und stellte ihn im erstbesten Parkhaus ab, an dem ich vorbeikam.

Und danach fuhr ich eine gute Stunde lang mit Bus und Untergrundbahn kreuz und quer durch die Stadt, lief durch die Markthallen und ein großes Kaufhaus und beehrte drei verschiedene Kneipen mit einem kurzen Besuch, worauf ich sie jedesmal durch die Hintertür verließ.

Erst als ich überzeugt war, alle etwaigen Verfolger abgeschüttelt zu haben, fuhr ich zum Bahnhof. Trotz der Odyssee, die ich hinter mir hatte, blieb noch eine gute halbe Stunde bis zur Abfahrt meines Zuges. Ich fühlte mich nicht sonderlich wohl in meiner Haut. H. P. war kein Idiot. Wenn sein Mann ihm mitteilte, daß er meine Spur verloren hatte, würde er rasch die richtigen Schlüsse ziehen. Das einzige, was mich beruhigte, war die Tatsache, daß der Bahnhof vor Menschen nahezu aus den Nähten platzte; es schien eine Unzahl von Leuten zu geben, die die Stadt verlassen wollten. Im Augenblick gab mir der Trubel auf den Bahnsteigen jedenfalls genügend Deckung, selbst wenn H. P. einen seiner Männer hergeschickt hatte. Und wenn ich erst einmal im Zug war, würde ich weitersehen.

Ich hatte den Gedanken kaum zu Ende gedacht, als ich ihn entdeckte. Rowlf. Sein hektisch gerötetes Bulldoggengesicht überragte die Menge um soviel, daß es nicht zu übersehen war, selbst auf die große Entfernung. Er stand vor der Tafel mit den Abfahrtszeiten und blickte abwechselnd auf die kleingedruckten Buchstaben und die Normaluhr, die über seinem Kopf von der Decke hing. Dann schlug er den Jackenkragen hoch und ging mit weit ausgreifenden Schritten zu der Teebude am anderen Ende des Bahnhofes hinüber. Ich überlegte einen Moment, ob ich den Spieß einfach umdrehen und ihm folgen sollte, entschied mich aber dann dagegen. Die Gefahr, erkannt zu werden, war zu groß.

Statt dessen wandte ich mich zum Bahnhofscafé. Es brachte niemandem etwas, wenn ich eine halbe Stunde auf dem Bahnhof herumstand. Und unter den Menschen im Café war ich so sicher wie hier.

Ich betrat das Lokal, suchte mir einen Platz in der hintersten Ecke, weit von der Tür entfernt und so, daß ich den Eingang im Auge behalten konnte, ohne sofort selbst gesehen zu werden, und bestellte einen Kaffee.
Nach einer Weile näherten sich Schritte meinem Tisch. Ich sah auf und griff gleichzeitig in die Tasche, um eine Münze hervorzuholen.
Aber es war nicht der Ober, wie ich erwartet hatte.
Der Mann vor mir war ein Riese mit schütterem weißem Haar und dem grimmigsten Gesichtsausdruck, der mir jemals untergekommen war.
»Card!« entfuhr es mir. »Sie?«
Er nickte – auf eine sehr ungnädige, abgehackte Weise –, zog sich unaufgefordert einen Stuhl heran und ließ sich darauf nieder. Das wackelige Möbelstück ächzte unter seiner Leibesfülle, aber Card schien es nicht einmal zu bemerken. Finster starrte er mich mit zusammengekniffenen Augen an.
»Es freut mich, daß Sie sich wenigstens noch an meinen Namen erinnern, Sir«, sagte er. »Um ehrlich zu sein, hatte ich schon fast gefürchtet, daß Sie unser Gespräch von vergangener Woche bereits vergessen haben könnten.«
Ich ignorierte den hämischen Unterton in seiner Stimme, legte den Kopf auf die Seite und sah in scharf an. »Worauf wollen Sie hinaus, Inspektor?« fragte ich.
Card lächelte kalt. »Nicht doch, Sir. Ich will auf gar nichts hinaus. Sie wollen verreisen?«
»Ich brauche ein wenig Abwechslung«, antwortete ich bissig.
Card seufzte. Auf seinem Gesicht erschien ein Ausdruck, der gleichermaßen gelangweilt wie ergeben wirkte. Unauffällig schielte ich an ihm vorbei zum Aus-

197

gang. Die beiden Männer in fast identischen Trenchcoats, die rechts und links der Tür standen und interessiert in ihren Zeitungen blätterten, waren bestimmt noch nicht dagewesen, als ich das Café betreten hatte. Den Gedanken an Flucht konnte ich mir also gleich aus dem Kopf schlagen. Ich straffte mich und sah Card herausfordernd an. »Was wollen Sie von mir, Inspektor?« fragte ich noch einmal. »Ist es neuerdings strafbar zu verreisen?«

»Ich hatte Sie gebeten, die Stadt nicht zu verlassen.«

Ich machte eine abfällige Handbewegung. »Das war vor einer Woche. Mittlerweile habe ich nichts mehr von Ihnen gehört.«

»Sie haben es sehr eilig, wie?« murmelte Card leise. »Man könnte meinen, sie laufen vor irgend etwas davon.« Plötzlich klang seine Stimme kalt, hart und unnachgiebig wie Stahl. »Mittlerweile haben sich gewisse Dinge geändert.«

»Gewisse Dinge?« wiederholte ich beunruhigt. Ich war überzeugt, daß Card mich nicht nur drangsalieren wollte. Er war mit einer ganz bestimmten Absicht hier.

»Sehen Sie, Sir, selbst Scotland Yard ist nicht so dumm, wie manche Leute glauben«, sagte Card. Er wirkte richtig vergnügt, als er fortfuhr: »Haben Sie schon einmal den Namen Stanley Martin gehört, Sir?«

»Martin?« Ich mußte meine Verwirrung nicht einmal heucheln. »Stanley Martin?«

Card nickte. »Ein bekannter Londoner Antiquitätenhändler.«

»Oh«, sagte ich.

Card grinste noch ein bißchen breiter. »Ja, oh. Sie lesen keine Zeitung, wie?«

»Selten«, gestand ich. »Was ... ist denn mit ihm?«

198

»Er ist tot, Sir«, antwortete Card.

»Tot?« Irgendwie schien ich das Wort falsch betont zu haben, denn in Cards Augen blitzte es triumphierend auf.

»Sie kennen diesen Mann nicht?« fragte er lauernd.

Natürlich kannte ich ihn. Aber ich muß wohl in diesem Augenblick irgendwie in Panik geraten sein, denn ich tat das Dümmste, was ich überhaupt hätte tun können: Ich schüttelte den Kopf und sagte mit allem Nachdruck: »Nein.«

»Das ist sonderbar, Sir«, antwortete Card. »Wissen Sie, er hat seiner Frau erzählt, daß er zu Ihnen wollte. Es ging um irgendein Möbelstück, das Sie ihm verkauft haben; eine sehr wertvolle Standuhr, glaube ich.«

»Ach, diesen Antiquitätenhändler meinen Sie«, stotterte ich verstört. »Ja, sicher, jetzt erinnere ich mich. Ich konnte mich nur nicht an den Namen besinnen.«

»Aber Sie haben ihm diese Uhr verkauft?«

Ich nickte.

»Sie verlieren keine Zeit, das Erbe Ihres Großvaters zu barer Münze zu machen, Wie?« fragte Card spitz, hob aber abwehrend die Hand, als ich auffahren wollte. »Aber das ist Ihre Sache. Jedenfalls hat er seiner Frau am Telefon erzählt, daß mit dieser Uhr irgend etwas nicht zu stimmen scheint. Sie weiß leider nicht genau, was er meinte. Aber sie sagt, daß er sehr aufgebracht klang, richtig außer sich. Und das, Sir, war das letzte, was sie von ihm gehört hat.«

»Ich ... verstehe nicht ganz, worauf Sie hinauswollen, Inspektor. Was ... meinen Sie damit?« fragte ich mühsam.

Card schnaubte, stand auf und machte eine ungeduldige Handbewegung. »Das wissen Sie ganz genau«,

199

sagte er hart. »Er verschwand. Stanley Martin war auf dem Weg zu Ihnen, als er verschwand. Und heute morgen wurde seine Leiche gefunden. Auf einem Abbruchgrundstück, kaum eine Meile von Ihrem Haus entfernt.«

»Ich verstehe nicht, was Sie meinen«, wiederholte ich stur.

Card grinste böse. »Das macht nichts«, sagte er. »Wir haben Zeit genug, uns über alles zu unterhalten. Folgen Sie mir.«

Ich widersprach nicht, sondern erhob mich gehorsam von meinem Platz. Es war völlig sinnlos, weiter mit ihm diskutieren zu wollen oder gar einen Fluchtversuch zu unternehmen; Card wartete nur auf einen handfesten Grund, mich in Ketten zurück zum Yard zu schleifen.

Die beiden Männer neben der Tür beendeten rein zufällig im gleichen Moment ihre Zeitungslektüre, in dem wir zwischen ihnen hindurchgingen, falteten die Blätter zusammen und folgten uns. Card ging im Sturmschritt neben mir her, blieb aber schon nach wenigen Metern nochmals stehen und deutete mit einer Kopfbewegung über den Bahnsteig.

»Und Ihre Komplizen nehmen wir auch gleich mit«, sagte er fröhlich. Ich sah gleich, was er meinte. Rowlf war es nicht besser ergangen als mir. Er stand mit geballten Fäusten und blitzenden Augen einem guten halben Dutzend unglaublich unauffällig gekleideter Männer gegenüber und schien sich noch nicht entschieden zu haben, ob er sie verdreschen oder ihnen folgen sollte; während H. P. mit steinernem Gesicht zwischen zwei von Cards Leuten zum Ausgang ging.

Ich hatte bisher nicht einmal bemerkt, daß er auch hier war.

»Sie sehen jetzt«, sagte Card süffisant, »daß Sie sich das ganze alberne Versteckspiel hätten sparen können.«

»Dann waren das also Ihre Männer vor meinem Haus. Und ich dachte, ich hätte sie abgeschüttelt«, sagte ich düster.

Card blinzelte verwirrt. »Welche Männer?« fragte er. »Ich habe niemanden auf Sie angesetzt. Wir haben uns die Freiheit genommen, Ihr Telefon anzuzapfen, und hier auf Sie gewartet.«

Derselbe Tag, Stunden später, die mir wie Ewigkeiten vorgekommen waren. Ich saß wieder in Cards Büro, aber es war nicht mehr derselbe Raum wie beim erstenmal. Das Büro war sehr viel größer, hatte ein Vorzimmer mit einer Sekretärin, einem Fernschreiber und allem, was dazugehörte, auf Cards Schreibtisch stand ein modernes Computerterminal, und auf der Milchglasscheibe der Tür prangte der Schriftzug: Captain Jeremy Card. Er war befördert worden. Und ich hatte das dumme Gefühl, sogar zu wissen, warum.

Nicht, daß mich das im Moment besonders interessiert hätte. Ich fühlte mich erschöpft, als hätte ich einen Marathonlauf hinter mir. Meine Augen brannten vor Müdigkeit, und seit ungefähr zehn Minuten hatte ich alle Mühe, überhaupt noch aufrecht auf dem unbequemen Arme-Sünder-Stuhl vor seinem Schreibtisch zu sitzen. Ich hatte Scotland Yard kennengelernt, aber von einer gänzlich anderen Seite, als mir lieb gewesen wäre. Ich hatte die gesamte entwürdigende Prozedur mitgemacht, die sich hinter dem harmlosen Ausdruck Feststellung der Personalien verbirgt: Fingerabdrücke, Fotografien, das endlose Beantworten stets gleichlautender Fragen ...

Und das war erst der Anfang gewesen. Danach hatte mich Card in sein Büro geholt, und wenn ich geglaubt hatte, daß er bei unserer ersten Unterredung vor einer Woche unfreundlich gewesen war, hatte ich mich getäuscht. Heute war Captain Jeremy Card gewissermaßen zu Höchstform aufgelaufen.

»Also noch einmal«, sagte er – zum wahrscheinlich fünfzigsten Mal an diesem Tag. »Sie bleiben dabei, mit Mister Martin nur ein einziges Mal gesprochen zu haben, an dem Tag, an dem er –«

»An dem ich ihm die Uhr verkauft habe«, unterbrach ich ihn. »Wie oft wollen Sie mich das noch fragen, Card?«

»Bis Sie mir die Wahrheit sagen«, antwortete Card trokken. »Er hat die Uhr gekauft und bezahlt und auch abholen lassen?«

»Noch am selben Tag«, sagte ich erschöpft.

»Aber wieso steht sie dann wieder in Ihrem Arbeitszimmer? War Martin nicht zufrieden damit?«

»Ich weiß es nicht!« sagte ich – auch zum wahrscheinlich fünfzigsten Mal. »Sie war einfach wieder da, ob Sie es nun glauben oder nicht!«

Natürlich glaubte Card mir nicht. Er machte sich nicht einmal mehr die Mühe, es laut auszusprechen – und wozu auch? Je öfter ich es wiederholte, desto unglaubwürdiger kam es mir ja selbst vor.

Er seufzte. »Gut, Mister McFaflathe-Throllinghwort-Simpson«, sagte er, »oder wie immer Sie heißen mögen. Fangen wir noch einmal von vorne an.« Er lächelte zuckersüß, zog eine Schublade seines nagelneuen Schreibtisches auf und holte eine dünne Plastikmappe hervor. Ich fuhr erschrocken zusammen, als er sie vor mir auf die Tischplatte knallte.

202

»Ich habe weitere Nachforschungen angestellt seit unserer letzten Unterhaltung«, begann er. »Nachforschungen, die Sie betreffen, aber auch Ihren Großvater.«
Ich antwortete nicht. Es wäre auch sinnlos gewesen. Card verkehrte alles, was ich vorbrachte, ins Gegenteil. Irgendwie kam ich mir vor wie ein Mann, der in einen Sumpf geraten ist und immer tiefer und tiefer sinkt, je mehr er strampelt.
»Mir sind da ein paar Unregelmäßigkeiten aufgefallen«, fuhr er fort. »Es ist mir zum Beispiel nicht gelungen, so etwas wie eine Geburtsurkunde zu finden. Jedenfalls keine, die auf Ihren Namen ausgestellt wäre.«
»Ich bin nicht in London geboren«, antwortete ich. »Sondern irgendwo in Europa.«
Card grinste und tätschelte sein Computerterminal, als wäre es ein kleiner Hund. »So etwas ist äußerst praktisch«, sagte er lächelnd. »Man kann damit in Sekundenschnelle Informationen aus allen Teilen der Welt bekommen.«
Ich starrte ihn böse an. »Ach? Und ich dachte, Sie kochen Kaffee damit.«
Card ignorierte meinen Einwurf.
»Wer sind Sie wirklich?« fragte er. »Ich meine, Sie haben mir lang und breit erklärt, Sie seien der Alleinerbe des Simpson-Vermögens und hätten deshalb gar keinen Grund gehabt, Ihren Großvater umzubringen. Aber so, wie die Dinge liegen —«
»Verdammt, warum fragen Sie nicht meinen Rechtsanwalt?« unterbrach ich ihn.
»Dr. Gray?« Card grinste. »Das werde ich tun. Er sitzt sowieso in einer unserer Zellen.«
»Gray? Sie haben Gray verhaftet?«
Card nickte ungerührt. »Irreführung der Behörden«,

203

sagte er. »So etwas mögen wir hier nicht. Aber wir wollten über Sie sprechen.«

»Nein, das wollten wir nicht«, fauchte ich. »Zum Teufel, Sie glauben mir ja doch nicht, oder?«

»Wenn Sie die Wahrheit sagen, schon«, antwortete Card gelassen. »Erzählen Sie einfach.«

Ich schwieg verstockt. Was wußte er? Und von wem? Plötzlich wurde er ernst. »Sie scheinen noch immer nicht begriffen zu haben, in welcher Lage Sie sich befinden«, sagte er. »ich kann Sie nicht nur wegen Urkundenfälschung belangen, Sir, sondern auch wegen einiger anderer Delikte. Und Sie sind der Hauptverdächtige in einem Mordfall.«

»Blödsinn«, antwortete ich. »Nur, weil ich diesen Martin einmal gesehen habe? Sie bluffen, Captain.« Ich beugte mich vor, stützte die Ellbogen auf dem Tisch auf und funkelte ihn an. »Aber passen Sie auf, daß Sie nicht zu gut sind«, fuhr ich fort. Ich deutete über meine Schulter auf des Namensschild an der Tür. »Sie könnten aus diesem schönen neuen Büro wieder draußen sein, noch ehe Sie sich richtig eingewöhnt haben.«

Card lächelte kalt. »Sie sind nicht in der Position, mir zu drohen«, erinnerte er.

»Drohen? Ich will Ihnen nicht drohen, Captain«, antwortete ich. »Aber ich will Ihnen sagen, wie ich die Sache sehe. Vor einer Woche haben Sie angefangen, mir Schwierigkeiten zu machen, und ich bin ziemlich sicher, daß das nicht Ihre Idee war. Jemand hat Ihnen einen Tip gegeben. Jemand ist in Ihr Zimmer gekommen und hat gesagt: Inspektor Card, Sie sollten sich mal den jungen Simpson ansehen. Der ist nicht ganz koscher. Und Ihrer Karriere würde es bestimmt guttun, wenn Sie einen solch heimtückischen Mord aufklären könnten. – Na? Habe ich recht? Hat es sich so abgespielt? Vielleicht war es auch nur ein Anruf?«

Card schwieg, aber sein Blick sagte mir sehr deutlich, daß ich mit meiner Vermutung der Wahrheit näher kam, als ihm lieb war.

»Sie haben es getan«, fuhr ich fort. »Und Sie haben Ihre Belohnung ja auch bekommen, wie ich sehe. Aber passen Sie auf, Captain! Sie begehen gerade einen schrecklichen Fehler. Ich war gerade auf dem besten Wege, genau das zu tun, was Ihre Auftrraggeber erreichen wollten – nämlich die Stadt zu verlassen. Man könnte es Ihnen übelnehmen, wenn Sie mich jetzt daran hindern.«

Card blickte mich böse an. »Wollen Sie damit andeuten, daß ich –«

»Ich will gar nichts andeuten«, unterbrach ich ihn. »Aber Sie sollten mit Ihren Vorgesetzten reden, ehe Sie weitermachen, Captain. Und noch etwas. Ich prophezeie Ihnen folgendes: Man wird Ihnen sagen, Sie sollen entweder dafür sorgen, daß ich die Stadt unverzüglich verlasse, oder mich für zwei Tage festhalten und dann unter irgendeinem Vorwand entlassen.«

Card wirkte verwirrt. Und beunruhigter, als er eingestehen wollte.

»Jetzt bluffen Sie«, sagte er schließlich.

»Warum sollte ich!« fragte ich. »Ich habe nichts zu gewinnen. Greifen Sie zum Telefon, wählen Sie eine bestimmte Nummer, und sehen Sie, was passiert.«

Für die nächsten zehn Sekunden passierte erst einmal gar nichts. Card blickte mich nur halb wütend, halb nachdenklich an und dann begriff ich, daß ich ihn trotz allem bisher unterschätzt hatte.

Er tat nämlich genau das, was ich ihm vorgeschlagen hatte: Er griff zum Telefon, wählte eine Nummer und

205

unterhielt sich eine Weile mit jemandem, den er nur mit »Sir« anredete. Aber je länger er sprach, desto verwunderter wurden die Blicke, die er mir zuwarf. Das Telefonat dauerte annähernd fünf Minuten, und ich wußte, wie es ausgegangen war, noch ehe er den Hörer aus der Hand legte.

»Wie lange sollen Sie mich festhalten?« fragte ich.

Card zögerte. Seine Finger begannen nervös an der Tischkante zu spielen. »Drei Tage«, gestand er schließlich.

Ich versuchte es, aber ich vermochte ein triumphierendes Lächeln nicht ganz zu unterdrücken. »Sehen Sie?«

»Nein«, sagte Card. »Ich sehe gar nichts. Das einzige, was ich sehe, ist, daß hier irgend was faul ist. Oberfaul sogar. Was wird hier gespielt?«

»Fragen Sie doch Ihren Chef«, antwortete ich patzig.

Card schlug wütend mit der flachen Hand auf den Tisch. »Ich frage aber Sie. Hören Sie mir zu: Es gibt zwei Möglichkeiten, diese Sache zu beenden. Entweder Sie sagen mir auf der Stelle die Wahrheit und wir lösen den Fall gemeinsam.«

»Oder?«

»Oder ich lasse Sie in den tiefsten Keller des Tower sperren und werfe höchstpersönlich den Schlüssel weg«, antwortete Card vollkommen ernst. »Und dort bleiben Sie, bis Sie verschimmeln.«

»Das können Sie gar nicht«, antwortete ich herausfordernd. »Sie haben nichts gegen mich in der Hand, Captain. Sie können mich nicht länger als vierundzwanzig Stunden festhalten, ohne mich offiziell eines Verbrechens anzuklagen.«

»Kann ich nicht?« fragte Card lauernd.

»Nein«, behauptete ich.

Aber Card konnte. Und er tat.

206

Die Zelle war winzig: vier Schritte lang, zweieinhalb breit; etwas weniger als einen, wenn ich das Bett herunterklappte, das an der Wand links von der Tür angeschraubt war. Es gab einen Stuhl, ein offenes Klosett ohne Deckel und ein Waschbecken mit einem einzelnen Hahn, der beim Auf- und Zudrehen erbärmlich quietschte. Das Fenster befand sich hoch unter der Decke und bestand aus vier aufrecht nebeneinander eingesetzten Glasbausteinen. Decke und Fußboden waren aus nacktem Beton, und auf den Wänden, die irgendwann einmal weiß gekalkt gewesen waren, prangten die Schmiereien all jener, die dieses Luxusappartement vor mir bewohnt hatten: die obligatorischen Strichlisten – manche von ihnen waren erschreckend lang –, aber auch mehr oder weniger gelungene Zeichnungen, ein mehrzeiliger Hilferuf von erstaunlicher dichterischer Qualität und ein paar unanständige Bilder. Ich fragte mich, womit die Gefangenen all diese Kunstwerke angefertigt haben mochten – mir hatte man alles abgenommen, was ich bei mir getragen hatte, selbst meinen Gürtel und die Schuhsenkel hatte ich den Beamten aushändigen müssen.

Das war jetzt länger als einen Tag her. Ich war direkt aus Cards Büro hier heruntergebracht worden, in eine der Arrestzellen, die sich heute wie vor hundert Jahren in den Kellergeschossen des Yard befinden, und seither hatte ich keinen Menschen mehr zu Gesicht bekommen. Das einzige Zeichen von Leben in dieser trostlosen Gruft war eine kräftige Männerhand in einem schwarzen Uniformärmel, die mir in regelmäßigen Abständen Essen und Trinken durch die kleine Klappe in der Tür hereinreichte.

Die ersten vier oder fünf Stunden – ich war auf Schätzungen angewiesen, denn meine Uhr war wie all die anderen Habseligkeiten in der Asservatenkammer des Yard verschwunden – hatte ich geduldig ertragen. Dann war ich ärgerlich geworden, und schließlich hatte ich sogar zu toben angefangen: Ich hatte mit den Fäusten gegen die Tür getrommelt und mir die Seele aus dem Leib geschrieen, aber das einzige Ergebnis hatte darin bestanden, daß meine nächste Mahlzeit ausgefallen war. Und irgendwann danach hatte ich resigniert. Ich begriff, daß ich nicht vor Ablauf der nächsten zweiundsiebzig Stunden hier herauskommen würde, ganz egal, was geschah. Card – und die Großen Alten – hatten gewonnen.

Eigentlich hätte mich der Gedanke, daß mir nichts Schlimmeres bevorstand als die Unbequemlichkeit zweier weiterer Tage in dieser Zelle, beruhigen müssen. Ich saß zwar im Gefängnis, aber strenggenommen war es eher eine Art Schutzhaft, zu der Card mir verholfen hatte. Solange ich hier hockte und weder meinem Haus noch der Uhr nahe kam, gab es für Cthulhus Helfershelfer keinen Grund, mir irgendein Leid anzutun.

Gleichzeitig aber wurde ich den nagenden Zweifel nicht los, ob H. P. nicht doch recht haben könnte. Was, wenn die Großen Alten wirklich erwachten, sobald die letzte Chance dahin war, sie aufzuhalten? Sicher, mit derselben Logik, mit der ich mir einzureden versuchte, daß ich in dieser Zelle im Moment am besten aufgehoben war, ließ sich auch folgern, daß das gar nicht möglich war – schließlich wäre ich nicht hier, wenn sie tatsächlich erwacht wären. Und ich konnte ja wohl auch schwerlich irgend etwas am Verlauf der Geschichte ändern, solange ich gar nichts tat, zumal, wenn es sich bei dieser Geschichte um die Vergangenheit handelte.

Was aber, flüsterte eine leise, aber sehr hartnäckige Stimme hinter meiner Stirn, wenn es nicht so einfach war? Wenn die Gesetze der Zeit sich einen Dreck um menschliche Logik kümmerten? Was würde geschehen, sobald diese Nacht vorüber war? Würde die Welt aufhören zu existieren? Würde die gesamte menschliche Rasse mit einem Schlag vom Antlitz dieses Planeten verschwinden, oder würde ich mich in einem vollkommen fremden London wiederfinden, einem von tentakelschwingenden Ungeheuern und schleimigen Shoggothen beherrschten London, in dem die Menschen nur mehr Sklaven waren?

Es war ein Gedanke, der einen schlichtweg in den Wahnsinn treiben konnte, aber ich war mir bei allem Kopfzerbrechen auch darüber im klaren, daß meine Überlegungen letztendlich müßig blieben – selbst, wenn ich es gewollt hätte, hätte ich kaum noch viel am Lauf der Dinge ändern können, denn ich saß in dieser Gefängniszelle fest.

Ich schlief ein, und als ich wieder erwachte, war das Tageslicht draußen vor dem Glasbaustein-Fenster erloschen. Ich setzte mich auf, fuhr mir verwirrt mit der Hand über die Augen und gähnte. Ich war nicht von selbst aufgewacht, das spürte ich. Irgend etwas hatte mich geweckt, ein Geräusch, eine ... Berührung?

Aber ich war doch allein in der Zelle.

Verstört sah ich mich um. Nein, in diesem Loch gab es wahrlich kein Versteck für irgend etwas, das nennenswert größer als eine Küchenschabe gewesen wäre. Ich wollte mich schon wieder zurücksinken lassen, um weiterzuschlafen, als ich den Schatten sah. Ruckartig richtete ich mich kerzengerade auf.

Es war der Schatten eines Menschen – aber nur sein

209

Schatten!

Fremd und finster und überaus bedrohlich prangte er an der Wand neben meiner Pritsche, der Schatten einer sehr schmalen, kleinen Gestalt, die nachdenklich auf mich herabzublicken schien.

»Was . . .«, keuchte ich, sprach aber nicht weiter, denn in diesem Moment geschah etwas, das mich noch mehr erschreckte als der Schatten zuvor.

Aus dem Nichts heraus erschien eine menschliche Gestalt in meiner Zelle. Für einen Sekundenbruchteil stand sie reglos da, wie eine Statue, dann taumelte sie, stieß einen kleinen, halberstickten Schrei aus und purzelte kopfüber nach vorne.

Ich griff instinktiv zu, noch ehe ich erkannte, wer so jählings in meiner Zelle aufgetaucht war. Und dann, als ich das Gesicht sah, verwandelte sich mein Entsetzen in ungläubiges Staunen.

»H. P.!« rief ich. »Wie zum Teufel . . . woher –«

H. P. machte eine mühsame Handbewegung, versuchte sich aus meinem Griff zu befreien und wäre prompt wieder gestürzt, wenn ich ihn nicht abermals aufgefangen hätte. Ich spürte, daß er vor Schwäche zitterte. Sein Gesicht war schneeweiß. Kalter Schweiß perlte von seiner Stirn.

»Jetzt . . . nicht«, flüsterte er. »Frag jetzt nichts. Wir müssen weg – schnell!«

»Weg?« Ich verstand kein Wort mehr, aber H. P. hielt sich nicht mit Erklärungen auf, sondern löste sich endgültig aus meinem Griff, wankte zur Tür – und öffnete sie.

Meine Augen wurden groß vor Staunen. Für einen Moment vergaß ich sogar, auf welch unheimliche Art und Weise er in meiner Zelle aufgetaucht war.

»Die Tür!« murmelte ich. »Aber wieso ... ist sie offen?«
»Sie wird offen sein, morgen«, antwortete H. P. geheimnisvoll. »Komm, Robert. Schnell. Solange meine Kräfte noch reichen, um uns zu schützen!«
Ich verstand von dieser Antwort rein gar nichts, aber ich gehorchte ganz automatisch. Hastig sprang ich auf, schlüpfte in meine Schuhe und trat hinter ihm auf den Gang hinaus.
Was ich sah, das ließ mir die Haare zu Berge stehen – und zwar nicht im übertragenen, sondern im wortwörtlichen Sinne: Ich spürte, wie sich meine Haarwurzeln aufstellten, als wären sie plötzlich elektrisch geladen.
Der Gang war nicht leer. Wenige Meter vor uns standen zwei Männer in den schwarzen Uniformen der Londoner Polizei, reglos wie große, lebensechte Puppen: Sie waren mitten in der Bewegung erstarrt. Der Mund des einen war halboffen, als hätte er eben dazu angesetzt, etwas zu sagen, und der andere hielt den rechten Fuß wenige Inches über dem Boden, halb im Schritt. Es war unheimlich. Unheimlich und beängstigend.
Und dann sah ich, daß sie sich doch bewegten. Der Fuß senkte sich ganz, ganz langsam, Millimeter für Millimeter, und der Mund des anderen wurde breiter, verzog sich ganz allmählich zu einem Lachen.
»Schnell!« drängte H. P. »Wir müssen hier heraus, ehe sich die Zeitebenen völlig ausgeglichen haben.«
»Aha«, sagte ich. Aber immerhin war ich geistesgegenwärtig genug, mich vom Anblick der beiden erstarrten Polizisten loszureißen und H. P. zu folgen, der taumelnd, aber sehr schnell, zur Treppe ging.
Wir begegneten weiteren, auf die gleiche unheimliche Weise erstarrten Menschen, auf dem Weg nach oben. Wie Schaufensterpuppen standen sie herum, mitten in

211

der Bewegung eingefroren, zum Teil in geradezu absurden Haltungen. Es war wie ein Gang durch ein bizarres Wachsfigurenkabinett. Und uns blieb wirklich nicht viel Zeit, wie ich sehr bald begriff – zunächst war es kaum zu merken, aber je mehr wir uns dem Ausgang näherten, desto deutlicher wurde es: Die Bewegungen der Männer und Frauen um uns bechleunigten sich. Nicht viel, aber doch so, daß es sich absehen ließ, wann sie wieder annähernd ihre normale Geschwindigkeit erreicht haben würden. Das Ergebnis meiner Schätzung spornte mich zu noch größerer Schnelligkeit an. Dicht hinter H. P. stürmte ich durch die große, ganz in Marmor gehaltene Eingangshalle des Yard, warf mich durch die Drehtür und stolperte die breite Freitreppe hinunter. Die Wagen unten auf der Straße krochen zwar immer noch dahin wie in einem Film, der zu langsam abgespielt wurde, aber sie waren ganz eindeutig nicht mehr erstarrt. Es war beklemmend – nicht nur Scotland Yard, sondern die ganze Stadt schien unter H. P.s unheimlichem Einfluß zu stehen!

Trotzdem verbiß ich mir alle Fragen, denn es war offensichtlich, daß H. P. jedes bißchen Kraft, das er besaß, brauchte, um dieses Wunder zu vollbringen.

Als wir das Ende der Treppe erreichten, lief die Zeit schon wieder fast normal ab. Ich wollte auf eines der bereitstehenden Taxis zueilen, aber H. P. ergriff mich wortlos beim Arm und deutete nach links.

Knapp zehn Yards neben der Treppe stand die nachtschwarze, zweispännige Kutsche, und auf dem Bock thronte Rowlf.

Ich folgte H. P., kletterte dicht hinter ihm ins Innere des antiquierten Gefährts, warf die Tür hinter mir zu und wurde recht unsanft in die Polster geschleudert, als

212

Rowlf die Pferde antraben ließ. H. P. brach mit einem erschöpften Seufzer neben mir zusammen und rang keuchend und wimmernd vor Erschöpfung nach Luft. Vorsichtig half ich ihm, sich auf der lederbezogenen Bank auszustrecken, wartete einige weitere Sekunden, bis er wieder halbwegs zu Atem gekommen war, und fragte dann: »Kannst du sprechen?«

H. P. nickte mühsam. »Es ... geht«, sagte er schwach. »Gib mir noch ... noch ein paar Sekunden. Ich muß ... mich erholen.«

Widerstrebend nickte ich, drehte mich auf dem Sitz herum und blickte aus dem Fenster. Die Kutsche quälte sich durch den noch immer dichten Verkehr des nächtlichen London. Die Straßen waren voller Autos, und mehr als einmal hörte ich ein zorniges Hupen hinter uns. Ich fragte mich, wie lange es wohl dauern würde, bis ich die ersten Polizeisirenen hörte ...

»Also?« fragte ich, als ich fand, daß H. P. nun ausreichend Zeit gehabt hatte, sich zu erholen.

Er sah mich an. Seine Augen waren noch immer trübe vor Erschöpfung. »Ich mußte es tun, Robert«, sagte er leise. »Es war die letzte Möglichkeit. Die Frist läuft ab. Uns bleibt nicht einmal mehr als eine Stunde.«

Einen Moment lang blickte ich ihn verwirrt an, dann fuhr ich herum, starrte abermals aus dem Fenster – und zuckte wie unter einem Hieb zusammen. Gar kein Zweifel – der Weg, den wir fuhren, war der zum Ashton Place!

»Du ... du glaubst doch nicht etwa, daß –«

»Du mußt es tun, Robert«, unterbrach mich H. P. »Bitte, versteh doch! Es ist nicht nur dein Leben, das auf dem Spiel steht!«

»Ihr seid ja alle verrückt!« antwortete ich. »Ich werde

den Teufel tun und in dieses Haus gehen, H. P.! Begreifst du immer noch nicht, daß ich mit alledem nichts mehr zu tun haben will? Bring mich sofort zurück! In meiner Zelle ist es sicherer als bei euch Wahnsinnigen!«

H. P. sah mich sehr lange und sehr traurig an. Er wirkte weder enttäuscht noch zornig. Dann hob er die Hand und deutete an mir vorbei. »Sieh noch einmal hinaus«, sagte er. »Und tu es diesmal gründlich.«

Ich gehorchte. Aber ich sah auch dieses Mal nichts anderes als vorhin – eine nächtliche Straße in London, mit all ihren Autos, Menschen, Lichtreklamen und Schaufenstern. »Was soll dort sein?« fragte ich.

»Sieh genau hin«, antwortete H. P. »Sieh ganz genau hin!«

Und dann sah ich es. Es waren nur Kleinigkeiten, winzige Details, die sich meiner Betrachtung noch dazu immer wieder auf unheimliche Weise zu entziehen schienen, aber jetzt, da ich einmal darauf aufmerksam geworden war, waren sie auch nicht mehr zu übersehen: Schatten, die dunkler waren als sonst. Menschen, die mir sonderbar mißgestaltet erschienen, ohne daß ich genau sagen konnte, warum. Hier eine Linie, die nicht mehr so war, wie ich sie in Erinnerung hatte. Eine Lichtreklame, deren Farbe seltsam krank wirkte. Ein hellerleuchtetes Schaufenster, hinter dem sich etwas verbarg, zu entsetzlich, als daß ich es länger als einen Sekundenbruchteil anzusehen vermochte. Winkel und Geraden, die nicht der euklidischen Geometrie zu entsprechen schienen ...

»Mein Gott«, flüsterte ich. »Was ist das?«

»Es beginnt«, antwortete H. P. »Die Zeit ist fast abgelaufen. Die Wahrheiten beginnen sich zu verschieben.«

»Die – was?« fragte ich.

»Bisher gab es zwei Wirklichkeiten«, antwortete H. P. »Zwei Möglichkeiten, wie die Zukunft dieser Welt aussehen würde. Aber jetzt ist die Chance fast dahin. Die Großen Alten haben so gut wie gewonnen. Was du dort siehst –«, er deutete wieder aus dem Fenster, »– ist die Welt, wie sie sein wird, nach ihrem Sieg.«

Fassungslos starrte ich weiter auf die Straße hinaus. Die Veränderungen waren jetzt unübersehbar, mit jedem Moment. Die ganze Welt rund um mich, war von so unbeschreiblich grausamen Verzerrungen entstellt, daß ich entsetzt die Hände vors Gesicht schlug.

»Ich verstehe das nicht«, flüsterte ich.

»Es ist auch schwer zu verstehen«, antwortete H. P. »Nicht einmal ich begreife es wirklich, obgleich ich gewisse... Erfahrungen mit dem Phänomen der Zeit habe. Stell dir jene Nacht als eine Art Kreuzweg vor. Die eine Abzweigung weist in die Zukunft, die ein Sieg deines Vaters ermöglicht – deine Welt, Robert, und die all dieser Menschen hier. Die andere führt zur Welt der Großen Alten.«

»Die Zukunft?« Ich drehte mich zu ihm um und starrte ihn an. »Meine Welt?«

H. P. nickte stumm. Ich hatte es längst begriffen, ja, im Grunde hatte ich es von Anfang an gewußt, auch wenn ich es nicht hatte wahrhaben wollen. »Du kommst aus der Vergangenheit, nicht?« flüsterte ich. »Rowlf und du, ihr... ihr stammt nicht aus dieser Zeit?«

H P. nickte ernst. »Ja, Robert. Für mich ist die Nacht, in der dein Vater starb, heute. Ich... bin hierhergekommen, um dich zu holen. Du bist unsere letzte Chance.«

Ich begriff. Und ich begriff auch, was er nicht aussprach: Ich hatte gar keine andere Wahl, als mich dem Dämon

der Uhr zu stellen. Wenn ich es nicht tat... nun, ein
Blick aus dem Fenster zeigte mir, wie die Welt ausse-
hen würde, in der ich weiterleben mußte.
»Also?« fragte H. P. nach einer Weile.
Ich sah weg. Ich hatte Angst. »Fahrt weiter«, sagte ich.

Das Haus lag still und schwarz wie ein Monolith auf der
anderen Straßenseite. Rowlf hatte die Kutsche an derselben Stelle geparkt, an der er auch die beiden Male
zuvor gestanden hatte – näher, so hatte H. P. erklärt,
könne er nicht an das Haus heran, wollten sie nicht Gefahr laufen, gewisse finstere Mächte zu früh auf ihr
Hiersein aufmerksam zu machen. Und er hatte noch
mehr gesagt – etwas, das mir weit mehr Kopfzerbrechen bereitete als seine erste Bemerkung: nämlich, daß
er aus Gründen, die zu erklären ihm jetzt keine Zeit
mehr bliebe, mich nicht ins Haus begleiten könne – was
im Klartext nichts anderes bedeutete, als daß ich allein
sein würde, wenn ich Priscilla gegenüberstand. Und
praktisch waffenlos. H. P. hatte nicht viel Zweifel daran
gelassen, daß mir weder die Pistole noch diverse andere
Waffen, die sich im Haus auftreiben lassen mochten,
sehr viel nützen würden. Nicht gegen die Wesen, mit
denen ich es zu tun hatte.
Mir blieb nicht mehr viel Zeit. H. P. hatte von einer
Stunde gesprochen, als wir vor dem Yard in die Kutsche gestiegen waren, aber wir hatten den Großteil dieser Frist mit der Fahrt hierher aufgebracht - Rowlf war
gefahren, so schnell er nur konnte, aber eine Kutsche
ist nun einmal ein langsames Fahrzeug und London
eine verdammt große Stadt. Fröstelnd blickte ich zum
Haus hinüber, dann nach rechts und links. Die bizarren
Veränderungen, die mit der Welt – oder der Wirklich-

216

keit, wie H. P. es genannt hatte, ich selbst sah da eigentlich keinen Unterschied – vor sich gegangen waren, hatten auch von diesem Teil der Stadt bereits Besitz ergriffen. Unbestimmbare finstere Lebewesen schienen den dunklen Platz zu bevölkern und über der Skyline von London erhob sich drohend ein riesiger zyklopischer Schatten, wie ein auf entsetzliche Weise in sich verdrehter, gigantischer Wurm. Und es ging weiter.

Ich wollte losgehen, aber H. P. hielt mich noch einmal am Arm zurück. »Es... gibt noch etwas, das ich dir sagen muß, Robert«, sagte er.

»So?« Ich versuchte vergeblich, meiner Stimme einen scherzhaften Ton zu verleihen. »Jetzt sag nicht, daß du eine schlechte Neuigkeit für mich hast.«

H. P. blieb sehr ernst. »Du hast eine gute Chance, Robert«, antwortete er. »Aber ich... ich will ehrlich zu dir sein. Selbst wenn du es schaffst... ich weiß nicht, ob du es überlebst.«

»Wie beruhigend«, sagte ich. »Und du kannst nicht... ich meine, so ein kleiner Blick in die Zukunft? Nur ein paar Stunden?«

»Ich kann nur die Zukunft sehen, wie sie sein könnte«, antwortete H. P. »Es gibt mehr als eine Zukunft, Robert. In einigen davon lebst du.«

»Und in einigen nicht«, fügte ich hinzu.

H. P. nickte.

»Werden wir uns wiedersehen?« fragte ich.

»Ich weiß es nicht«, antwortete H. P. »Ich glaube nicht. Jedenfalls nicht bald. Rowlf und ich müssen zurück. Wir sind schon viel zu lange hier. Es ist gefährlich, durch die Zeit zu reisen. Und noch etwas.«

»Ja?« fragte ich, auf eine weitere Hiobsbotschaft gefaßt.

H. P. griff in die Westentasche und förderte etwas Kleines, Graues zutage, das er mir gab. Es war ein Stein, ein sehr schwerer Stein, der die Form eines plumpen, fünfzackigen Sternes hatte. Auf seiner Oberfläche waren sonderbare, kabbalistisch anmutende Symbole eingeritzt.

»Was ist das?« fragte ich.

»Vielleicht eine Waffe«, antwortete H. P. »Es ist ein Sternstein von M'nar. Es gibt nur eine Handvoll davon auf der Welt, und dies ist der einzige, den ich besitze. Er ... wirkt tödlich auf manche Dienerwesen der Großen Alten.«

Jetzt verstand ich. Dies war der Stein, mit dem er den Shoggothen vernichtet hatte, der mich vor seinem Haus überfiel. Dankbar schloß ich die Faust darum.

»Und«, fuhr H. P. fort, »ich weiß nicht, ob es dir helfen wird, aber es gibt ... es gab da etwas, das deinem Vater immer von großem Nutzen war. Eine Waffe. Ein Spazierstock, in dessen Knauf sich ein ebensolcher Stein verbarg. Wenn du ihn siehst, nimm ihn an dich.«

Ich nickte abermals, sah ihn einen Herzschlag lang an – und wandte mich dann mit einem Ruck um, um zum Haus hinüberzugehen. Es hätte noch so vieles gegeben, was ich hätte sagen können, aber nichts davon hätte irgend etwas geändert. Und die Zeit wurde knapp. Ich widerstand sogar der Versuchung, noch einmal zu ihm und Rowlf zurückzublicken, als ich die andere Straßenseite erreicht hatte und das Gartentor öffnete.

Es war beinahe unheimlich still. Der Garten lag finster und schweigend vor mir, und auch in ihm waren Dinge, die nicht da sein sollten, sonderbare kranke, abartige Gebilde, die zu fixieren mein Blick sich weigerte und die ich auch gar nicht sehen wollte. Als ich die Tür erreichte, fiel mir mit einemmal siedendheiß ein, daß mir

218

mein Schlüssel im Yard abgenommen worden war.
Doch mein Schrecken währte nur eine Sekunde. H. P.
wäre nicht H. P., wenn er nicht dafür gesorgt hätte, daß
ich in das Haus hineinkam: Die Tür stand offen. Es wäre
ja wohl auch gar zu lächerlich, wenn die Rettung der gesamten Menschheit durch Robert Craven II. an einer
solchen Banalität wie einer verschlossenen Tür schei-
tern würde!

Vorsichtig trat ich ein. In der Halle brannte Licht, und
soweit ich erkennen konnte, war hier noch alles in Ordnung. Ich schloß die Tür hinter mir, sah mich sicherheitshalber noch einmal sehr aufmerksam um und ging
schließlich die Treppe hinauf. Auch die Tür zum Arbeitszimmer stand offen, und dahinter brannte Licht,
und plötzlich kamen mir doch Bedenken, ob es wirklich
H. P. gewesen war, der all dies für mich vorbereitet
hatte. Ich fragte mich, was ich tun würde, wenn ich hinter jener Tür plötzlich wieder dem Geist meines Großvaters gegenüberstehen sollte.

Zögernd schob ich die Tür auf, betrat das Zimmer und
sah nach rechts. Die Uhr stand da, reglos und groß und
häßlich, wie sie seit hundert Jahren dagestanden hatte,
doch gleichzeitig ging eine fühlbare knisternde elektrische Spannung von ihr aus, die einem das Atmen
schwer machte. Ich näherte mich ihr bis auf zwei
Schritte, blieb stehen und blickte die vier Zifferblätter
fast herausfordernd an. Die Zeiger des größten – mithin
des einzigen, das auch wirklich die Zeit anzeigte – hatten sich beinahe auf der Zwölf vereinigt. Ich war gerade
noch zurecht gekommen, es war eine, allerhöchstens
anderthalb Minuten vor Mitternacht.

»In Ordnung«, sagte ich laut, und ich kam mir dabei
nicht im mindesten albern vor, obgleich ich mit einer

Uhr sprach. »Du hast gewonnen, du Ungeheuer. Mach mit mir, was du willst.«

»Ich will doch nicht hoffen, daß Sie mit dieser Bemerkung mich gemeint haben«, sagte eine Stimme hinter mir. »Bisher haben wir uns doch trotz allem wie zivilisierte Menschen benommen, nicht wahr? Es wäre schade, wenn wir jetzt anfangen würden, uns wie die Kinder gegenseitig zu beleidigen. Seien Sie bitte so freundlich und nehmen Sie die Hände hoch.«

Ich erstarrte sekundenlang, dann hob ich ganz langsam die Hände und drehte mich herum.

Captain Jeremy Card stand keine drei Schritte hinter mir, lässig gegen die Kante des gläsernen Schreibtisches gelehnt und ein schon beinahe süffisantes Lächeln auf den Lippen. Das einzige an ihm, was ganz und gar nicht lässig und entspannt wirkte, war seine rechte Hand. Sie war halb erhoben und richtete einen kleinen, sechsschüssigen Revolver auf mich.

»Card!« murmelte ich. »Wie kommen Sie hierher?«

»Auf dem gleichen Weg wie Sie, Simpson«, antwortete er und machte eine Kopfbewegung zum Ausgang. »Durch die Tür. Ich war so frei, sie für Sie offenzulassen. Ich dachte mir, daß Sie hierherkommen würden. Aber besonders intelligent war das nicht, wenn Sie mir die Bemerkung gestatten.« Er lächelte spöttisch, stieß sich von der Schreibtischkante ab und kam gemächlich auf mich zu.

»Reden Sie immer mit Ihren Möbelstücken?« fragte er.

»Sie verstehen überhaupt nichts, Card«, antwortete ich. Ich spürte, wie ich ganz allmählich, aber unaufhaltsam, in Panik zu geraten begann. Wieviel Zeit blieb mir noch? Sechzig Sekunden? Oder weniger? »Das ist keine Uhr, Card.«

»Ach?« Card lachte, aber es klang nicht ganz echt. Ich konnte direkt sehen, wie es hinter seiner Stirn arbeitete. »Wenn ich so wenig verstehe, dann erklären Sie es mir doch einfach«, fuhr er fort. »Ich bin zwar nur ein dummer kleiner Polizist, aber manchmal begreife ich recht schnell. Vor allem, wenn man versucht, mich für dumm zu verkaufen, wissen Sie?«

»Dazu bleibt keine Zeit!« sagte ich gehetzt. »Bitte, Card!«

»Oh, wir haben Zeit«, antwortete Card gelassen. »Alle Zeit der Welt. Oder wenigstens fast. Fangen Sie an – Sie werden sehen, ich bin ein geduldiger Zuhörer.«

Meine Gedanken überschlugen sich. Ich war nicht sicher, ob Card wirklich auf mich schießen würde, aber das mußte er auch nicht. Er wog mindestens fünfzig Pfund mehr als ich, und nur sehr wenig davon war überflüssiges Fett. Für einen Mann wie Card wäre es eine Kleinigkeit, mich zu überwältigen. Ich wog in Gedanken meine Chancen ab, mit einer blitzschnellen Bewegung die Uhr zu erreichen und hineinzuspringen. Aber sie standen nicht sehr gut.

»Also?« fragte Card ungeduldig.

»Sehen Sie aus dem Fenster«, antwortete ich.

Card lachte. »Für wie blöde halten Sie mich eigentlich?«

»Tun Sie es«, wiederholte ich. »Ich gebe Ihnen mein Ehrenwort, in dieser Zeit nichts zu unternehmen. Aber danach werden Sie mich verstehen.«

Card verschwendete weitere kostbare Sekunden damit, mich einfach anzustarren. Aber dann, als ich schon glaubte, er würde es nicht tun, wandte er sich zögernd ab, ging zum Fenster und schlug die Vorhänge zurück.

»Schauen Sie nach Osten«, sagte ich. »Sehen Sie sich die City an. Ganz genau.«

221

Card tat es. Und ich konnte beobachten, wie er zusammenfuhr und erbleichte. »Großer Gott!« flüsterte er. »Was ist das?«

Ein dumpfer, lang nachhallender Gongschlag verschluckte meine Antwort. Mitternacht. Die Uhr begann zu schlagen. Die Frist war abgelaufen.

Card fuhr herum, starrte abwechselnd mich und die Uhr an und suchte sichtlich nach Worten. Er war erschüttert, bis ins Innerste.

»Was ist das, Simpson?« fragte er. »Was geschieht dort draußen?«

Der zweite Schlag, dann der dritte, vierte, fünfte. Mir kam es vor, als schlüge die Uhr viel, viel schneller als sonst, was aber wohl nur an meiner Nervosität lag. Der zehnte Schlag, der elfte ...

»Bitte, Card!« flehte ich. »Ich kann es Ihnen jetzt nicht erklären, aber –«

Das zwölfte dröhnende Schlagen der Uhr unterbrach mich. Und Cards Augen wurden groß, als er an mir vorbeistarrte.

Ich war nicht im mindesten überrascht, als ich mich herumdrehte und sah, daß die Uhrtür wie von Geisterhand bewegt aufgeschwungen war und daß sich hinter der Tür nicht mehr das Gestänge, sondern wieder der unheimliche, wabbernde Korridor befand. Grünes Licht durchflutete das Zimmer und Card stieß ungläubig ein paar unverständliche Worte hervor.

Ohne weiter auf die Pistole in seiner Hand zu achten, trat ich auf die Uhr zu. Mein Herz hämmerte, als wollte es jeden Augenblick zerspringen.

»Bleiben Sie stehen!« krächzte Card. »Ich meine es ernst, Simpson! Ich schieße!«

»Tun Sie das, Captain«, sagte ich – und trat mit einem

222

entschlossenen Schritt in die Uhr hinein.

Es war wie beim erstenmal, als ich diesen entsetzlichen Korridor durch die Zeit benutzt hatte – ich spürte nichts, nicht einmal den Ablauf einer Bewegung: Ich trat einfach auf der anderen Seite wieder aus der Uhr hinaus und blieb stehen.

Aber nur für eine Sekunde, dann hörte ich einen Schrei hinter mir, und etwas traf mich mit der Wucht eines heranrasenden Dreißig-Tonnen-LKWs und riß mich von den Füßen. Instinktiv versuchte ich mich abzurollen, aber ich wurde gepackt und mit fürchterlicher Kraft gegen den Boden gepreßt. Cards wutverzerrtes Gesicht tauchte über mir auf.

»Ich habe Sie gewarnt, Simpson!« keuchte er. »Versuchen Sie das nicht noch einmal, oder –«

»Warum hören Sie nicht für eine Sekunde auf, auf mich einzuprügeln, und sehen sich einfach um?« unterbrach ich ihn.

Card starrte mich an, hob aber dann gehorsam den Kopf – und stieß einen verblüfften Laut aus. Anders als beim ersten Mal, als ich die Uhr benutzt hatte, war die Veränderung jetzt unübersehbar: Das Zimmer war weder frisch renoviert noch neu eingerichtet, sondern stellte das perfekte Abbild des Arbeitszimmers vor dem Brand dar.

»Aber das ist doch unmöglich!« flüsterte Card.

»Das ist es nicht, Captain«, antwortete ich mühsam. Ich bekam kaum noch Luft, denn Card hockte mit seinen gut zwei Zentnern Lebendgewicht wie eine übergroße fette Kröte auf meiner Brust. »Ich werde es Ihnen erklären, wenn Sie die Güte hätten, von mir herunterzusteigen – bevor ich erstickt bin.«

Card fuhr schuldbewußt zusammen, stand hastig auf

223

und streckte sogar die Hand aus, um mir beim Aufstehen behilflich zu sein. Ich ignorierte sie, rappelte mich aus eigener Kraft hoch und sah mich um. Nichts schien verändert zu sein. Alles sah so aus wie bei meinem ersten Besuch in der Vergangenheit, und vor dem Fenster tobte wieder das Unwetter.

»Was... was bedeutet das alles?« stammelte Card. Er hielt die Waffe noch immer auf mich gerichtet, aber ich war jetzt sicher, daß er sie nicht mehr benutzen würde. Ich antwortete auch nicht auf seine Frage, sondern schlich auf Zehenspitzen zur Tür, lugte auf den Gang hinaus und bedeutete ihm mit der einen Hand heranzukommen, während ich den Zeigefinger der anderen mahnend auf die Lippen legte. Card nickte. Mit einer Lautlosigkeit, die ich einem Mann seiner Größe nicht zugetraut hätte, trat er neben mich und starrte ebenfalls durch den Türspalt.

»Was geht hier vor?« flüsterte er.

Ich zuckte zur Antwort mit den Achseln. »Das kann ich Ihnen jetzt nicht erklären, Card«, erwiderte ich kurz. »Nur so viel – was immer auch geschieht, helfen Sie mir, oder die Welt, in der Sie sich wiederfinden, wird so sein wie die, die sie vorhin vor dem Fenster gesehen haben.«

Card erbleichte noch ein ganz kleines bißchen mehr. Aber er schwieg. Und ich hoffte, daß er verstanden hatte.

Als wir das Zimmer verließen, begann die Uhr hinter uns wieder zu schlagen. Aber etwas an ihrem Klang war anders: Was wir hörten, war nicht der schwere, lang nachhallende Gong des Läutwerks, sondern ein rhythmisches, unendlich dunkles Wumm-Bumm, Wumm-Bumm, Wumm-Bumm, das an das Schlagen eines gigantischen Herzens erinnerte. Und es verstummte auch nicht nach dem zwölften Mal, sondern schlug weiter. Gleichzeitig veränderte sich das Licht: Alle Farben wurden mit einemmal blasser und alle Schatten tiefer und bedrohlicher. Und die Uhr hämmerte weiter.

Card war leichenblaß geworden. Seine Hand umspannte den Revolver so fest, als wollte er ihn zerbrechen. Ich verzichtete darauf, ihm zu sagen, wie wenig ihm die Waffe im Ernstfall nutzen würde, griff aber selbst in die Hosentasche und zog den Sternstein von M'nar hervor, den H. P. mir gegeben hatte.

Mit der anderen Hand deutete ich zur Treppe und gab Card gleichzeitig zu verstehen, keinen überflüssigen Laut zu machen. Auf Zehenspitzen begannen wir die Treppe hinunterzuschleichen. Ich blickte gebannt zum Salon hinüber und lauschte, aber wenn mein Vater und Priscilla noch da waren, so verschluckte das Heulen des Sturmes ihre Worte. Eines Sturmes, der sich, wie ich wußte, Augenblicke später zum Tornado auswachsen würde. Es war ein bizarres Gefühl, ganz genau zu wissen, was als nächstes geschehen würde. Trotzdem fuhr ich erschrocken zusammen, als die erste Sturmböe das Haus traf und es wie unter einem Hammerschlag erbeben ließ. Die Treppe unter unseren Füßen wankte wie das Deck eines Schiffes auf hoher See. Card rief mir erschrocken etwas zu, aber seine Worte gingen in dem gewaltigen Krachen eines Donnerschlages unter, der das Haus in seinen Grundfesten erbeben ließ.

Und plötzlich wurde es hell, unerträglich hell. Unter uns im Salon splitterte Glas, und ein unsagbar grelles, gleißendes Licht ließ mich stöhnend die Augen schließen. Der Blitz! durchfuhr es mich. Was ich in meiner Vi-

225

sion während der Séance gesehen hatte, wurde wahr!
Es war der erste Blitz, der das Fenster zertrümmerte
und in das bizarre Gebilde in Priscillas Händen fuhr!
Wieder ein ungeheuerlicher Donnerschlag, und eine
halbe Sekunde später eine krachende Explosion, mit
der der zweite Blitz die Eingangstür zermalmte, sich in
einem schier unmöglichen Zickzack seinen Weg durch
die Halle brannte und wie eine züngelnde Schlange aus
Licht in den Salon fuhr. Card schrie hinter mir auf,
prallte entsetzt zurück und starrte aus hervorquellen-
den Augen auf die lodernde Linie aus purer Energie,
die sich durch die Halle wand, Hitze und Licht und ein
fürchterliches elektrisches Zischen verbreitend.
»Großer Gott, Simpson, was ist das?« brüllte er.
Als ich antworten wollte, brannte sich der dritte Blitz
eine flammengesäumte Bahn durch das Haus, durch
Stein und Holz und Glas hindurch und kaum weiter als
einen Yard von der Treppe entfernt. Ich verzichtete auf
eine Antwort, rannte weiter – und blieb so abrupt stehen, daß Card von hinten gegen mich prallte und mich
um ein Haar zu Boden gerissen hätte.
Vor mir stand der Wächter.
Zum erstenmal sah ich die Kreatur so, wie sie wirklich
war: Ein Gigant, fast anderthalbmal so groß wie ich und
mit annähernd menschlichen Umrissen, die aber in beständiger Bewegung waren. Sein Körper schien aus keiner festen Substanz zu bestehen, sondern floß und
wogte und waberte wie schwarzer Teer, der noch nicht
ganz erstarrt war. Das einzige an ihm, was eine feste
Form hatte, war das faustgroße, pupillenlose Auge in
der Mitte seines gesichtslosen Schädels, das mich mit
stummem Haß anstarrte.
Und ich reagierte so schnell wie noch nie zuvor in mei-

nem Leben. Blitzartig hob ich die Hand mit dem Sternstein H. P.s und holte zum Wurf aus. Und trotzdem war
ich nicht schnell genug.

Captain Jeremy Card überwand seine Überraschung
einen Sekundenbruchteil vor mir. Mit einem Schrei riß
er seine Waffe hoch, stieß mich aus dem Weg und
drückte dreimal rasch hintereinander ab. Ich taumelte,
prallte gegen das Treppengeländer und ließ den Sternstein fallen. Verzweifelt griff ich danach, aber er
schlüpfte zwischen meinen Fingern hindurch, sprang
noch einmal von einer Stufe ab – und hüpfte wie ein
kleiner grauer Gummiball in die Tiefe. Ich konnte hören, wie er irgendwo unten in der Halle aufschlug, nur
wenige Yards entfernt und doch unerreichbar.

Als ich aufsah, feuerte Card seine letzten drei Patronen
ab. Die Schüsse zeitigten nicht die geringste Wirkung.
Ich konnte sehen, wie die Stahlmantelgeschosse durch
den Körper des Dämons fuhren wie durch weichen
Lehm und in der Wand hinter ihm einschlugen, ohne
ihm auch nur den allermindesten Schaden zuzufügen.

Dafür begann in dem Zyklopenauge des Wächters ein
unheimliches, pulsierendes Feuer zu erglühen. Und ich
wußte nur zu gut, was das bedeutete!

Verzweifelt schrie ich auf, warf mich rücksichtslos vor
und packte Card bei den Fußknöcheln. Der harte Ruck
brachte ihn aus dem Gleichgewicht. Er schrie und
stürzte mit hilflos rudernden Armen zu Boden.

Eine halbe Sekunde später fuhr ein gleißender Blitz aus
dem Auge des Wächters und pflügte eine Spur aus
Licht und Tod durch die Luft, genau dort, wo sich eben
noch Cards Körper befunden hatte. Wo der Blitz ein-
schlug, flammte die Treppe auf wie trockener Zunder.
Das Ungeheuer brüllte enttäuscht auf und riß die Arme

227

in die Luft.

Ich wartete nicht, bis es seine fürchterliche Waffe zum zweiten Male einsetzen konnte. Ohne auch nur über das nachzudenken, was ich tat, zerrte ich Card in die Höhe, schloß die Augen – und ließ mich einfach nach hinten fallen, ohne ihn loszulassen. Das Treppengeländer traf meinen Rücken wie ein Schwerthieb, aber es gab nach, und ich stürzte in die Tiefe und riß dabei Card mit mir.

Wir überschlugen uns ein-, zweimal in der Luft, und dann prallten wir eng aneinandergeklammert auf den harten Steinfliesen der Halle auf.

Das Haus erzitterte unter dem achten oder neunten Blitz, der seine Wände durchschlug, als ich wieder auf die Füße sprang. Card schrie irgend etwas, das ich nicht verstand, und versuchte mich am Bein festzuhalten. Er versuchte aufzustehen, konnte es aber nicht; augenscheinlich hatte er den Sturz nicht ganz so unverletzt überstanden wie ich. Aber mir blieb keine Zeit, mich um ihn zu kümmern. Ich riß mich los, fuhr herum und warf mich mit einem gewaltigen Satz durch die Salontür.

Es war ein Bild wie aus einem Alptraum; nein, schlimmer, tausendmal schlimmer, als es jeder Nachtmahr sein konnte. Das Zimmer war ein Chaos aus Licht und Hitze, in dem sich alle Gegenstände wie in grellweißleuchtender Säure aufzulösen schienen. Die Decke war ein Himmel aus waberndem, weißem Feuer, in dem sich die Schlangenlinien der lodernden Blitze vereinigten. Nur schattenhaft erkannte ich die Gestalten meines Vaters und Priscillas unweit der Stelle, an der ich sie das erste Mal gesehen hatte, aber auf entsetzliche Weise verändert.

Mein Vater lag reglos und in schrecklich verkrümmter Haltung da, noch am Leben, aber sichtlich unfähig, sich zu bewegen. Sein rechter Arm war nach etwas Länglichem, Dunklem ausgestreckt, an dessen Ende ein winziger Stern zu flammen schien. Das mußte der Stockdegen sein, von dem H. P. gesprochen hatte. Und Priscilla...

Im ersten Moment erkannte ich sie kaum wieder. Sie war nur noch eine halb durchsichtige, unter einem verzehrenden inneren Feuer glühende Gestalt, die keinerlei Ähnlichkeit mehr mit der dunkelhaarigen Schönheit hatte, die sie einmal gewesen war. Zuckende blaue und weiße Blitze rasten in unablässiger Folge über ihren halbverbrannten Körper, und in ihren Händen lag etwas, dessen bloßer Anblick mich mit namenlosem Grauen erfüllte; ein Gegenstand, unmöglich zu beschreiben, den die Aura des Bösen wie eine finstere Korona zu umgehen schien.

War ich zu spät gekommen? Ich versuchte die Blitze zu zählen, die sich bereits ihren Weg in das feuerummantelte Ding in Priscillas Händen gebrannt hatten, kam bis zehn und wäre um ein Haar in der gleichen Sekunde pulverisiert worden, als der elfte Blitz die Wand hinter meinem Rücken durchschlug und sich zischelnd keinen halben Yard neben mir vorbeischlängelte.

Und in diesem Moment hob die sterbende Gestalt meines Vaters den Blick und sah mich an. Ich wußte, was er sah. Ich hatte es ja selbst gesehen, durch seine Augen.

»Vater!« schrie ich. »Halt aus! Ich komme!«

Ich stürzte vor, tauchte unter den zuckenden Blitzen hindurch und versuchte Priscilla zu erreichen, aber in diesem Moment zermalmte der zwölfte Blitz die Stirnwand des Raumes. Ein ganzer Hagel aus Steinen und brennendem Holz ging auf mich nieder. Ich stürzte, blieb eine halbe Sekunde benommen liegen und stemmte mich wieder hoch. Ich war kaum eine Armeslänge neben meinem Vater aufgekommen, und für einen winzigen Moment trafen sich unsere Blicke.

Das Staunen in seinen Augen wandelte sich in Erkennen, in eine verzweifelte, jähe Hoffnung, und dann... griff etwas nach meinem Geist, berührte ihn wie eine warme, starke Hand und verschmolz damit.

Und ich wußte.

Es war wohl die reinste, direkteste Art der Kommunikation, die es gab. Es war keine Telepathie, keine Gedankenübertragung, nein, es war die Vereinigung zweier Geister: Schlagartig stand mir das umfassende Wissen eines ganzen Lebens zur Verfügung, so als hätte ich selbst es gelebt, und nicht mein Vater. Die Gestalt mit der blitzförmigen weißen Haarsträhne neben mir sank lautlos zurück, und ich wußte, daß er tot war, gestorben im gleichen Moment, in dem sich sein Geist mit dem meinen verbunden hatte, aber ein Teil von ihm lebte in mir weiter und sagte mir mit unerschütterlicher Gewißheit, was ich tun mußte, was meine allerletzte Chance war, das Erwachen der dämonischen Götter zu verhindern. Blindlings warf ich mich vor, raffte den Stockdegen meines Vaters an mich und stach mit dem flammenden Stern schräg nach oben, nach dem Siegel in Priscillas Händen.

Die Zeit schien stehenzubleiben. Die Bewegungen gerannen zur Zeitlupe, und ich sah und hörte alles mit fast magischer Klarheit: Ich sah, wie sich die nadelscharfe Spitze der magischen Waffe dem Siegel näherte, wie sich Priscillas Gesicht vor Entsetzen verzerrte, als sie

230

begriff, daß der Degen das Siegel zerstören würde.

Aber ich sah auch noch etwas: Die Decke jenseits des wabernden Himmels aus Feuer barst unter dem Faustschlag eines zornigen Gottes, und der dreizehnte, allerletzte Blitz sengte sich seinen Weg in das Siegel hinab.

Er traf den lebenden Riesenkristall, einen Sekundenbruchteil bevor die Spitze des Stockdegens ihn berührte.

Und die Welt schien zu explodieren. Ein entsetzlicher, unbeschreiblich gräßlicher Schmerz zuckte durch meinen Arm, der den Degen hielt. Ich brüllte in schierer Agonie auf, warf mich zurück und schleuderte den Degen von mir. Die Waffe glühte noch im Flug auf und zerfiel zu Asche. Feuer regnete rings um mich zu Boden, traf meine Kleider und mein Haar und mein ungeschütztes Gesicht. Gleichzeitig begann Priscilla zu wanken, zu taumeln, dann kippte sie wie eine Puppe, die aus dem Gleichgewicht gebracht worden war, zur Seite und stürzte leblos zu Boden.

Aber das Siegel fiel nicht.

Es hing schwerelos in der Luft, gehalten von dreizehn dünnen, grellweißen Bahnen aus Licht, und es begann zu wachsen!

Das Siegel pulsierte, schlug wie ein giftgrünes kristallenes Herz, im selben unheimlichen Rhythmus wie vorhin die Uhr, und bei jedem Schlag wuchs sein Umfang.

Zu spät! dachte ich entsetzt. *Ich war zu spät gekommen. Den Bruchteil einer Sekunde zu spät!*

Plötzlich mischte sich ein widerwärtiger, heulender Laut in das Zischen der Blitze und den dumpfen Herzschlag des Siegels. Ich verbarg das Gesicht zwischen den Armen, kroch rücklings aus dem Zimmer hinaus und sah hoch.

231

Es war noch nicht vorbei; im Gegenteil – es begann erst richtig!

Die Blitze hatten nur den Weg bereitet. Sie bildeten Tunnel, durch die die Großen Alten ihr Gefängnis zwischen den Dimensionen verließen! Ich sah, wie sich einer der Blitze weitete und in seinem Inneren etwas herankroch. Etwas Gigantisches, Wurmartig-Formloses mit schwarzer, schimmernder Haut und glotzenden Monsteraugen, eine unbeschreibliche Spottgeburt mit peitschenden schlangenähnlichen Armen und zahllosen schnappenden Mäulern. Obwohl ich das Scheusal hinter dem wabernden Vorhang aus Energie nur als Schemen erkennen konnte, trieb mich der Anblick fast in den Wahnsinn. Und wahrscheinlich war der Umstand, daß ich es nicht genauer sah, auch der einzige Grund, warum ich diese Sekunde überlebte, denn die Großen Alten sind Wesen, deren bloßer Anblick tötet.

Ein zweites ebenso abscheuliches Ungeheuer kroch durch den nächsten Blitz heran und näherte sich dem Siegel, das mittlerweile schon fast den halben Salon ausfüllte, ein drittes, viertes... Cthulhu, Azatoth, Schab-Niggurath und Schudde-Mell, Hastur der Unaussprechliche und Jog-Sothoth, das ganze Bestiarium einer seit zweihundert Millionen Jahren untergegangenen Zeit – sie erwachten!

Der Gedanke lähmte mich derartig, daß ich die unmittelbare Gefahr, in der ich mich noch immer befand, beinahe vergaß. Ich fand erst in die Wirklichkeit zurück, als ich Card gellend aufschreien hörte. Ich fuhr herum, gewahrte aus dem Augenwinkel ein Huschen und warf mich instinktiv nach links.

Die Bewegung rettete mir das Leben.

Der sengende Flammenblitz des Wächters brannte ein

kopfgroßes Loch in die Fliesen neben mir, und ein ungeheuerlicher Fuß aus schwarzem Schlamm stieß nach meinem Gesicht. Ich versuchte auch diesem zweiten Angriff auszuweichen, schaffte es nicht ganz und wurde mit der Wucht eines Vorschlaghammers am rechten Bein getroffen. Hilflos schlitterte ich durch die Halle, prallte gegen den Fuß der Treppe und blieb halb gelähmt liegen. Ein monströser, mißgestalteter Schatten torkelte auf mich zu.

Ich versuchte mich aufzurichten, aber mein Bein knickte kraftlos unter dem Gewicht meines Körpers weg, und ich fiel abermals, diesmal nach vorne und aufs Gesicht.

Und auf etwas Kleines, Hartes.

Der Sternstein von M'nar!

Wieder war es, als übernehme etwas in mir die Kontrolle über mein bewußtes Handeln. Meine Hand schloß sich um den winzigen grauen Stein, ich fühlte, wie ich mich mit einer Kraft herumwarf, die ich eigentlich gar nicht mehr hätte haben dürfen, und gleichzeitig bewegte sich mein rechter Arm nach oben, in einer weit ausholenden, schwungvollen Bewegung.

Es war wie vorhin, im Salon: Trotzdem alles rasend schnell ging, sah ich es mit phantastischer Klarheit, und die Dinge schienen zehnmal langsamer vor meinen Augen abzulaufen, als sie es in Wirklichkeit taten.

Der Wächter schien die Gefahr, die ihm von dem harmlos aussehenden Stein drohte, instinktiv zu spüren, denn er setzte seinen begonnenen Angriff auf mich nicht fort, sondern prallte im Gegenteil mitten in der Bewegung zurück, als ich den Stein schleuderte. Und damit besiegelte er nicht nur sein eigenes Schicksal. Über mir kroch eine weitere schwarze Spottgeburt durch einen der aufgedunsenen Blitzkanäle heran, vielleicht die letzte der dreizehn höllischen Gottheiten – und der Wächter taumelte in seiner Angst direkt in die Bahn des Blitzes hinein! Für den Bruchteil einer Sekunde schienen die beiden gräßlichen Kreaturen miteinander zu verschmelzen. Der Große Alte war der Wächter, und der Wächter der Große Alte, Schöpfer und Geschöpf wurden eins. Genau in diesem Moment traf der Sternstein von M'nar die Brust des entsetzlichen Zwitterwesens – und vernichtete beide.

In seiner Urgestalt wäre der Große Alte unbezwingbar gewesen, durch jede nur denkbare Waffe. Aber für den zeitlos kurzen Moment der Verschmelzung mit dem Wächter war er so verwundbar wie die Kreatur, die er erschaffen hatte.

In der Halle schien eine zweite, grausam helle Sonne aufzugehen. Licht, Licht von ungeahnter Intensität hüllte die beiden ineinandergekrallten Ungeheuer ein und verzehrte sie. Gleichzeitig erscholl aus dem Salon ein so gräßlicher Schrei, daß ich glaubte, das Trommelfell müßte mir platzen, ein Schrei so voller Wut und Enttäuschung, wie ihn kein Wesen dieses Universums hervorbringen könnte.

Ich hob schützend die Arme vor die Augen, blinzelte in den Vulkan aus Licht hinein, der den Salon verschlungen hatte, und sah, wie eine unsichtbare Macht nach dem Siegel griff und es in sechs gleich große, brennende Teile zerbrach. Da schien sich die Ankunft der Großen Alten auf unheimliche Weise umzukehren, als würde der Film zurückgespult. Dieselbe unsichtbare Riesenfaust, die das Siegel zermalmt hatte, riß sie zurück in ihr Gefängnis zwischen den Wirklichkeiten, rasend schnell und unbarmherzig. Der Wutschrei der

Großen Alten verhallte. Gleichzeitig erloschen die Blitzkanäle, einer nach dem anderen.

Plötzlich war es still. Selbst das Prasseln der Flammen und das Grollen des Unwetters klang gedämpft, wie von weit, weit her. Rund um uns brannte es lichterloh, und das Haus ächzte unter der Urgewalt des Feuers, das es verzehrte, aber es waren jetzt nur noch gewöhnliche Flammen, nicht mehr das Höllenfeuer der Großen Alten.

Es war vorbei.

Ich versuchte mich hochzustemmen, und diesmal ging es. Mein Bein tat erbärmlich weh, aber ich brachte die Kraft auf, mich aufzurappeln und zu Card hinüberzuhumpeln, und irgendwie bewerkstelligte ich sogar das Wunder, ihm auf die Beine zu helfen und ihn zu stützen. Aneinandergeklammert taumelten wir auf die brennende Treppe zu.

Über uns begann das Haus zusammenzubrechen, während wir uns nach oben quälten. Die Luft war voller Hitze und beißendem Qualm und Flammen, und mehr als einmal erzitterte die ganze Treppe unter unseren Füßen wie ein waidwundes Tier. Die wenigen Schritte ins Arbeitszimmer hinauf wurden zu einem Wettlauf mit dem Tod.

Aber wir gewannen ihn.

Über der Stadt ging die Sonne auf, als Card und ich vor das Haus traten, und ich glaube kaum, daß uns jemals ein Sonnenaufgang so schön erschienen war wie dieser. Es war ein normaler Sonnenaufgang, und die Stadt, deren Silhouette allmählich aus der Nacht auftauchte, war das ganz normale London – ein Anblick, den noch einmal zu sehen weder er noch ich zu hoffen gewagt

235

hatten. Wir blieben lange einfach im Garten stehen und genossen es, den Tag heraufziehen zu sehen, zu sehen, wie sich die Schatten, die jetzt wieder nichts anderes als ganz normale Schatten waren, allmählich zurückzogen und dem strahlenden Licht der Sonne wichen, und all dies empfanden wir als kostbares Wunder, das wir stets viel zu wenig gewürdigt hatten.

Den Rest der vergangenen Nacht hatten wir zum Teil damit verbracht, uns gegenseitig zu verarzten und unsere Wunden zu versorgen, die sich gottlob allesamt als nicht sehr ernsthaft herausgestellt hatten: Card hatte einen geprellten Rücken, mein rechtes Fußgelenk war verstaucht, und wir beide waren mit blauen Flecken und Prellungen und blutigen Kratzern nur so übersät, aber im Grunde waren das nur Lappalien. Danach hatten wir geredet. Das heißt: Ich hatte geredet, und Card hatte zugehört. Ich hatte ihm alles erzählt, die ganze Geschichte, soweit ich sie kannte und verstand, und er hatte mich kein einziges Mal unterbrochen. Und auch danach war er sehr lange sehr still geblieben. Aber er glaubte mir, das spürte ich. Und welche andere Wahl hatte er schon?

»Ich werde alles in Ordnung bringen«, versprach er zum Abschied. »In einer Stunde ist die Anklage gegen Sie vom Tisch, dafür verbürge ich mich. Und dann wird sich ein gewisser sehr hochgestellter Jemand aus dem Unterhaus auf dem Stuhl wiederfinden, auf dem Sie vorgestern gesessen sind.«

»Lassen Sie es sein«, antwortete ich.

Card sah mich verwirrt an.

»Wer immer es war, er wird sich an nichts erinnern«, sagte ich. »Haben Sie vergessen, was Mary passiert ist? Es war nicht ihre Schuld. Der Wächter hat sie gezwungen, so zu handeln.« Ich lächelte. »Begraben Sie die ganze Sache einfach. Immerhin ist eine dicke Beförderung für Sie dabei rausgesprungen.«

Card nickte, aber er tat es sehr zögernd, und er fühlte sich dabei sichtlich unwohl. »Kann ich noch irgend etwas für Sie tun?« fragte er.

Ich wollte den Kopf schütteln, aber dann nickte ich stattdessen. »Sie könnten sich bei Gericht erkundigen, was man tun muß, wenn man eine Namensänderung plant«, sagte ich.

»Namensänderung?«

»McFaflathe-Throllinghwort-Simpson ist mir einfach zu lang«, antwortete ich lächelnd. »Ich möchte den Namen meines Vaters annehmen.«

»Craven?«

»Robert Craven II«, bestätigte ich.

Cards Blick wurde plötzlich mitfühlend. »Es ... tut mir sehr leid«, sagte er. »Der Mann im Salon – das war Ihr Vater, nicht?«

Ich nickte.

»Da sind Sie ihm zu erstenmal im Leben begegnet und sind gerade zurecht gekommen, seinen Tod mitzuerleben«, sagte er leise.

Aber ich antwortete nicht darauf. Und was hätte ich auch sagen sollen? Ja, Robert Craven I. war tot, seit hundert Jahren. Aber ich spürte keine Trauer. Mein Vater war tot.

Aber der Magier lebte.

Denn der Magier bin ich.